知的生きかた文庫

アート鑑賞BOOK
この1冊で《見る、知る、深まる》

三井一弘

三笠書房

まえがき――アート鑑賞とは「作家の魂」に触れること

美術展へ行く前に。行ったあとに。本書をぜひ活用してください。

みなさんは、最近いつ美術館に行きましたか？

統計によると、日本国民の４人に１人は、年に一度美術館を訪れているそうです。

それくらい、日本人は美術展が大好きなのです。

アートを見ると胸を打たれる、何かを思い出させる、考えさせられる、幸せな気持ちになる……。感想はまちまちだと思いますが、でもいざ「どういうところがよかった？」と人から聞かれると、うまく魅力を説明できない。そんな経験、ありませんか？

美術展には行くけれど、作品を本当に理解したのか自信が持てない――どうやら、日本人にはそんなパラドクス（矛盾）があるようです。

私は、その理由について、大きく3つあるのではないかと見ています。
①アートの「歴史」をよく知らない。②作品の「見方」や「接し方」がわからな

い。③作品に対する自分の「考え」や「感想」が間違っていたら恥ずかしい。

しかし、正しい答えなどはありません。それぞれが自由な意見を持っていいのです。

それでもなお、自分の意見や感想を語る自信が何となくもてないと思うのは、**「アートの根底にある〝作家の魂〟に触れたことがないから」**ではないかと私は思います。

アートの根底にあるものとは、簡単に言ってしまえば「愛」です。

ありふれた言葉ですが、「愛」という感情は、「悲しみ」や「苦しみ」という感情から生まれ、そしてそれが、豊かな「感受性」に直結します。

つまり、アートを楽しむには「**作家の魂に触れる感受性**」が必要ということです。

一方で、「豊かな感受性」だけでは深く鑑賞できないというのも事実。①の「歴史」などの知識も押さえておくと、驚くほどアートの世界が広がっていきます。

そこで本書では、**「感受性」の磨き方から、鑑賞に必要な「歴史知識」まで**、そのすべてをわかりやすく解説しました。アートの「見方」や「接し方」は、アートディーラーとしての私独自の視点で、多角的なアプローチを試みました。

第2章で述べるアートの歴史では、エジプト美術から現代アートまでを、1本の線に結び、要点だけをざっくりまとめています。西洋美術史をこのように「線」で理解できるようになると、難解になりがちな現代アートもぐっとわかりやすくなります。第5章では、見るだけのアート鑑賞から一歩進めて、自宅でアートを楽しむ具体的な方法を提案しています。

現代思想である構造主義には、次のような言葉があります。

「人間は間違った時にのみ、個性的である」

すなわち、正しい見方や正しい意見は個性的ではない、ということです。

その意味では、私が本書で展開する持論も、決して正論だけを述べたつもりはありません。しかし、アート一年生が読んでも、アート上級者が読んでも、新たな気づきや発見にあふれていると自負しています。

また、押さえておきたい歴史的な代表作品、これから注目していきたい作家の作品なども、カラー写真でたっぷりご紹介します。アートの奥深さ、すばらしさを存分に堪能できるでしょう。

めくるめくアートの世界へ——ようこそ！

第1章

ディーラーだけが知っている「美術鑑賞6つの重要ポイント」

第2章

歴史を知るともっと面白い！「古典美術から現代アートの世界へ」

西洋美術の偉大な13人の革命家たち　52

第3章 なぜ今、注目されているのか？「心ときめく現代アート」

第5章

百円台から数百億円まで多彩な魅力「アートをもっと身近に楽しもう！」

（文中、敬称略）

画像提供：
[akg-images/ アフロ]…p. 28, 54（左）, 77, 79（左）, 92（右下）, 94（左）, 153, 179（下）, 298
[Alamy/ アフロ]…p. 49（上）, 49（下）, 92（上）, 147（上）, 189（上）, 191（上）, 197, 223, 231, 239, 247（上）
[ALBUM/ アフロ]…p. 231, 107, 175, 151（下）, 296-297, 70-71, 79（右）, 54（右）, 88
[Alinari/ アフロ]…p. 56　[AP/ アフロ]…p. 281, 179（上）
[Artothek/ アフロ]…p. 29, 99（上）, 259, 55（右）, 94（右）, 96（左）, 67, 85
[Bridgeman Images/ アフロ]…p. 140-141, 226, 75, 190（上）
[DeA Picture Library/ アフロ]…p. 103（右下）, 103（左下）, 204, 63, 106
[GRANGER.COM/ アフロ]…p. 243　[HEMIS/ アフロ]…p. 124
[Heritage Image/ アフロ]…p. 183　[Iberfoto/ アフロ]…p. 59, 80（下）
[IMAGNO/ アフロ]…p. 99（下）, 201　[Interfoto/ アフロ]…p. 187
[John Warburton-Lee/ アフロ]…p. 239（上）
[Mondadori/ アフロ]…p. 92（左下）, 64, 182, 73, 55（左）
[PPA/ アフロ]…p. 189（下）, 190（下）, 191（下）　[TopFoto/ アフロ]…p. 196
[Universal Images Group/ アフロ]…p. 60　[ZUMA Press/ アフロ]…p. 247（下）
[山口裕朗 / アフロ]…p. 120　[渡邊木版美術画舗 / アフロ]…p. 253

編集協力:後藤かおる ／ 本文イラスト:山里将樹 ／ 本文DTP:佐藤岳人（ライラック）
企画協力：ランカクリエイティブパートナーズ株式会社

第1章

ディーラーだけが知っている「美術鑑賞6つの重要ポイント」

美術展に行ったらまずこのポイントを押さえよう！

本章では、アート鑑賞をより深く楽しんでいただくために、アートディーラーである私が、ふだん作品のどこに注目し、どのように見ているのか、その鑑賞方法の一端をご紹介することから始めていきましょう。

見るのは傑作のみに!?

たとえば、あなたが人気の美術展に足を運んだとします。展覧会の評判によっては、数十万人ものアートファンが詰めかけ、美術館に入るだけでも数時間待ちということも珍しくありません。こうした状況に耐え抜き、あなたもようやく会場にたどり着きました。

さて、そこであなたは、展示されたすべての作品を鑑賞しますか？

「そんなの当たり前でしょ！」と大半の人が即答すると思いますが、私はこう答えます。**「見るのは傑作のみ」**と。

フランスの19世紀ロマン派を代表する画家、ドラクロワ（ウジェーヌ・ドラクロワ：1798—1863）は、**「絵画とは、作家の魂と、見る人の魂との間に架けられた、一本の橋である」**と述べています。

その言葉どおり、作家は全身全霊で作品と向き合い、そこに命と魂をぶつけて描き上げます。ゆえに、見る側も心を開放し、絵画を通してその作家の人生観や思想や時代背景などを感じ取る——。

アートの鑑賞法は様々ですし、これという正解はありませんが、こうした見方をすることで、より深く感動することができるのです。

この場合、見る側にも感性やセンスといった、〝**アートを見るためのスキル**〟が求められます。

スキルといっても、何も難しい話ではありません。

たとえば、学生時代に訪れた京都と、五十代になってから訪れた京都では、受け止め方が違ってきますよね。これは絵画でも同じで、二十代と五十代では、作品の受け止め方が異なり、それまでは見えなかったものが見えるようになったり、しみじみと「いいなぁ」と感じられる、ということがあるはずです。それは、様々な人生経験を重ねることで感受性が豊かになった証しです。

では、人生経験を積む一方で、もう少し積極的にアートを見るためのスキルを磨くにはどうするか。それには、「**人間への関心**」を強く持つことが必要だと思います。

つまり、「あなたをもっと知りたい」と思えるかどうか。

作品そのものの素晴らしさはさることながら、**それを生み出した作家の素顔に迫り、なぜこのような作品を生み出したのかといった背景も含めて、理解したいという好奇心を持つ**こと。それが、アートを深く楽しむことにつながります。

このように、私が美術館で作品を見るときは、自分の感性や好奇心を総動員し、その作家の**魂に触れるべく本気で向き合う**ので、ひとつの作品を見るだけでも、どっと疲れてしまいます。ですから、展示作品すべてを見ることは体力的にも難しく、「見るのは傑作のみ」となってしまう、というわけです。

実は「傑作のみを見る」理由は、もうひとつあります。

それは**「審美眼を養う基礎力のトレーニング」**です。

これは私たち、アートディーラーだけでなく、おそらくコレクターの方々も実践しているはずですが、意識的にいい作品だけを見ることで、その作家の駄作や力不足の作品を見抜く力を鍛えるのです。

しかし、一般には「どの作品が傑作なのか、よくわからない……」という方が大半だと思います。

ご安心ください。簡単にわかる方法があります。

それは、**展覧会のホームページやパンフレット**を見ることです。

ここでいう傑作、いわゆる美術展の目玉作品は、大抵**大きく取り上げられているの**で、すぐにわかるでしょう。

あるいは、**展示の高さ**でも見分けられます。

一般的に美術館では、作品の大小にかかわらず**注目作は一段高いところに展示する**傾向があります。他の作品に比べて少し見上げるような高さや、**一段せり出して**展示されている作品があれば、それがまさに傑作です。

説明文《キャプション》は読まない

会場では、まず入り口で作家の紹介文を熱心に読み、次に作品と対面して、作品の横に付けられたキャプション（説明書き）をじっくり読んでから絵を見るという人、多いですよね。

え？　あなたもそうだった、ですって⁉

キャプションを読んでから見たほうが、その作品を理解できるような気がするのでしょう。しかし、「読んで、見て」を繰り返すことで、結局どちらも頭に入らず、「何も覚えていない」という経験、ありませんか？

ご存じのように、人間の脳には左脳と右脳があります。左脳は論理的思考を司《つかさど》り、右脳は感性を司るため、絵画を見たり、音楽を聞いたりしているときは右脳が活発になるといわれています。つまり、キャプションを読んで、絵画を見るということは、使う脳をせわしなく切り替えるということ。これでは、作品を見ることに集中できず、何かを感じ取ることなど、到底できません。

ですから、作品と対面したときは、「キャプションは読まない」ことが鉄則です。**文字や音といった情報はシャットアウトし、心で見る**ことが大事なのです。

とは言っても、絵画を見るならその作家や代表的な作品について、ある程度知識をもっておいたほうが、より楽しめることも事実。そこで、美術館でキャプションを読まなくていいように、事前に情報を仕入れておきましょう。

美術館に行く前の予習にぴったりなのが、**テレビ番組をチェックする**ことです。私のおすすめは、NHK Eテレ『日曜美術館』(日曜9時〜)とBS日テレ『ぶらぶら美術・博物館』(金曜20時〜)の2本。いずれも、その時期に開催される注目の美術展を取り上げてくれるので、気軽に作家や作品の背景情報をキャッチできます。

また、展示を見て「よかった！」と感動したら、会場出口にあるショップものぞいてみましょう。そこには図録をはじめ、その作家の関連書籍が集められていますので、効率よく、好みの一冊を手にすることができるでしょう。

本を読み、理解を深めてからもう一度、美術展に足を運ぶのもいいですよ。前回見たときとはガラリと見え方が変わる、そんな体験ができるはずです。

作品の所蔵者欄を見る

ところで、私は美術館では必ず展示作品のキャプションをチェックします。

先程言ったことと、逆じゃないかと思われるかもしれませんね。

いえいえ、解説を読んでいるわけではありません。

アートディーラー特有のクセで、それぞれの**作品を所蔵しているのは誰か**、を見るのです。

展示作品のキャプションには、前述の作品解説のほかに、作者名や題名、制作年、所蔵先など様々な情報が記されています。その中で私は「所蔵先」をチェックしているというわけです。

たとえば、作品が公立美術館の所蔵である場合、それがマーケットに出回ることはほとんどありません。一方、「個人蔵」と記載されている作品であれば、いつかどこかのタイミングでオーナーがその作品を手放し、売りに出される可能性があります。アートディーラーとして、**将来その作品を扱うチャンスに巡り合えるかもしれない、**ということです。

その作品が海外の個人蔵であれば、キャプションには「個人蔵○○（国名）」「個人蔵△△（都市名）」などと記されます。しかし、日本で所蔵されている場合は、単に「個人蔵」とだけ記されることが多くなります。

従って、「個人蔵」だけの記載を見つけたときはワクワクし、「将来の売り物」としてしっかりインプットします。

一般のみなさんには関係ないと思われるかもしれませんが、**個人蔵はマーケットにあるのと同じこと。それを手に入れられる可能性は全くのゼロではありません。**

ですから、みなさんも「個人蔵」を目撃したら、自分が所有者になったつもりで家のどこに飾ろうか、などと想像を巡らせるのも楽しいと思います。

作品のダメージをチェックする

もうひとつ、アートディーラーの習性とでもいうべきなのでしょうか。美術館などで気になる作品と対面したとき、私はついコンディションをチェックしてしまいます。作品を斜め下からのぞきこみ、表面に凸凹がないか、キャンバスにゆるみはないか、修復の痕跡が見られないかなど、ダメージを探してしまうのです。

作品のダメージは、値踏みするときにマイナス要素になりますし、ダメージの箇所によってはマイナスの大きさも変わってきます。たとえば、人物の顔、なかでも目の部分に修復跡があると、それは絵画の価値を大きく下げてしまうのです。

しかし、作品のコンディションを見ることは、マイナスの要素ばかりではありません。**その作品がどう扱われてきたのか、歴史を知る手掛かり**にもなります。

作品にダメージが見当たらなければ、歴代のコレクターたちに大事にされてきたことがわかりますし、政治的、歴史的な題材の作品であれば、過去にナイフで切りつけられた跡が見つかるかもしれません（それもまたドラマチックですが）。

作品の経年劣化は、使われた絵の具の材料によっても違ってきます。売れっ子作家が描いた作品の場合、高級な材料を使ったでしょうから、劣化の度合いは低くなります。逆に、生前売れなかった作家であれば、粗末な材料により傷みや劣化も激しくなるので修復箇所が多くなる傾向があります。使用された絵の具の状態から、「現在はあまり知られていない作家でも当時は売れっ子だったのでは？」と推し量ったり、想像を膨らませることも楽しみのひとつです。

みなさんがよく知る名画にも、実はこうしたダメージにまつわる有名なエピソードがあります。

まずは、レオナルド・ダ・ヴィンチ（１４５２―１５１９）の『モナ・リザ』（次ページ右上）から。

レオナルド・ダ・ヴィンチ『モナ・リザ』(1503-1506年)

中性的で魅惑的な微笑みに魅了される作品ですが、みなさんはこの作品、どこか変だと思いませんか？

その違和感の正体は「**眉毛がない**」ことです。しかし、研究の結果、実は描かれた当時は**まつ毛と細い眉毛があった**ことがわかりました。それが度重なる修復と低レベルの洗浄処理によって、消えてしまったのだそうです。

ピカソ『夢』(1932年)

ダ・ヴィンチにとっては不本意な話でしょう。しかしそれがゆえに、あの不思議な魅力が醸し出されたのかもしれません。

もうひとつは、ピカソ（パブロ・ピカソ：1881－1973）の『夢』という作品（上）。

2006年、アメリカ・ラスベガスのカジノ王、スティーヴ・ウィンは、この作品をファンドマネージャーとして財を成したアートコレクターのスティーヴ・コーエンに、1億3900万ドル（約150億円）で売却することになりました。

高値での売却に浮かれていたウィンは、作品の前に立ち友人に自慢している最中、あろうことか、肘で突いてなんと**この作品**

に穴を開けてしまったのです。

作品に描かれていたのは、ピカソの愛人マリア・テレーズでしたが、彼女の腕の部分に、7cm大の裂け目が2カ所も！　この事件によって取引はキャンセルされたのですが、ウィンは後のインタビューで「穴を開けたのが自分でよかった」と語りました。だってそれはそうでしょう、カジノのドンが所有する大事な作品に、従業員が穴を開けてしまったとしたら……。考えただけでも恐ろしい話です。

しかし、この作品のことが頭から離れなかったコーエンは、結局**7年後の2013年に、06年当時よりもさらに高い1億5500万ドルで手に入れる**ことになります。

これぞまさに、唯一無二の傑作が持つ力によるものなのでしょう。

余談になりますが、この作品、実は私にとっても、非常に思い出深い作品です。

というのも、1997年11月、オークションハウスのクリスティーズ・ニューヨークにてこの作品が売立《うりたて》に出されたとき、偶然私もその会場に居合わせたからです。

この作品はガンツ・コレクションの目玉となる作品で、この時は約4840万ドル、当時のレートにして約61億円という、その時点でのピカソの作品の史上最高額で落札されました。

当時、売れない画家だった私にとって、1枚の絵が目の前で数十億円という高値で落札される現場に立ち会うというのは、とても衝撃的な体験でした。

これが、私が初めてアートマーケットに触れた機会であり、これをきっかけに、アートディーラーの道に進むことになるのです。

そして、この時落札したのが伝説のカジノ王、スティーヴ・ウィンだったのですね。

〝額縁〟も〝百見〟の価値

ところで、みなさんは美術館で絵画を見るときに、額縁に意識を傾けているでしょうか。おそらく、ほとんどの方が額縁までは意識していないのではないでしょうか。

たとえば前述の『モナ・リザ』。みなさんの中には、この世界で最も有名な絵画を、実際に見られた方もいらっしゃるかと思います。

では、ここで質問です。

この『モナ・リザ』は、どんな額縁に入れられていたでしょうか？

おそらく、額縁の色みや模様までを詳細に思い出せるという方は、ほとんどいらっしゃらないのではないかと思います。

それほど、額縁とは絵画の脇役に押しやられ、見過ごされがちだということです。

ところが、アメリカ・ニューヨークにあるメトロポリタン美術館には、この脇役になりがちな**額縁だけを集めた展示室**があります。すなわち、額縁にも美学がある、ということです。

たとえば、あなたがダイヤモンドで指輪をつくろうとしたら、まさか真鍮《しんちゅう》のリングにはセットしないですよね。ダイヤモンドにふさわしいのは、高品質のプラチナでしょう。絵画も同様で、名画とは、それにふさわしい額縁に入っているもの。

ですから、額縁にも一見の価値があるのです。

1 絵画と額縁は〝同郷〟で合わせると相性がいい

額縁にこだわる画家も多く、20世紀後半に活躍した画家、フランシス・ベーコン

（1909―1992）は、額縁を自分で指定していました。現代美術の世界では額装しないことが多く、額装したとしてもシンプルな棒縁に入れるのが一般的ですが、ベーコンは近代の流れをくみ、金の額縁を好みました。

また、著名な日本画家の平山郁夫《ひらやまいくお》（1930―2009）は、掛け軸を飾る床の間が減りつつある現代家屋に合わせて、洋間にも飾れるように、自分の作品専用にステンレス製の額縁を指定しており、それは通称「平山縁《ひらやまぶち》」とも呼ばれています。


時には額装を手がける職人が、画家以上にこだわりを見せるケースもあります。

フランスの新印象派の画家、ジョルジュ・スーラ（1859―1891）は、点描という新たな表現方法を確立したことで有名ですが、彼の作品には、額縁の内側のモール部分にも、点描が入っている作品があります。

私は以前、この点描はスーラ自身が入れたのだとばかり思っていたのですが、よくよく調べてみると、スーラではなく当時の額屋さんが、気を利かせて入れていたことがわかりました。おそらく、絵と額縁を調和させる狙いがあったのでしょう。

実際、絵と額が一体感を伴い、とても粋な額装でした。

このように、いろいろな逸話や形状がある額縁ですが、**時代や国によっても様々な違い**があります。

フランスの例で見ていくと、17世紀~18世紀のルイ王朝時代は、バロック、ロココと芸術様式が大きく変化した時代であり、それに伴い額縁も変化していきました。バロック時代の「**ルイ14世様式**」の額縁は威厳があり、華やかなバロック調の装飾が施されています。それが「**ルイ15世様式**」になるとロココ調の流行を受け、金色で施された貝殻や植物的な曲線美でデコラティヴな形状となります。さらに「**ルイ16世様式**」になると、新古典主義の直線的で比較的抑えられた装飾になります（左ページ）。

この中で、19世紀後半のフランスに発した**印象派の絵画と相性がいい額縁は「ルイ14世様式」と「ルイ15世様式」**です。印象派の絵画を見たら、その額の大半は「ルイ14世様式か15世様式」であると思って間違いありません。

また、ベラスケス（ディエゴ・ベラスケス：1599―1660）やゴヤ（フランシスコ・デ・ゴヤ：1746―1828）といったスペインの画家の絵画は、当然スペイン製の金色に黒色で引き締まった額縁に入れられているのですが、同じ額縁は、ピカソやミロ（ジョアン・ミロ：1893―1983）といった**20世紀**のスペイン画家の作品とも相性が

時代や国によって異なる額縁の形式

スペイン縁

フランス縁「ルイ14世様式」

イタリア縁

フランス縁「ルイ15世様式」

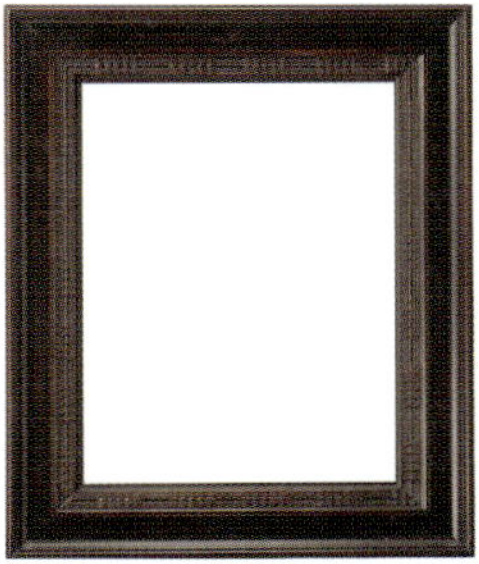

オランダ縁

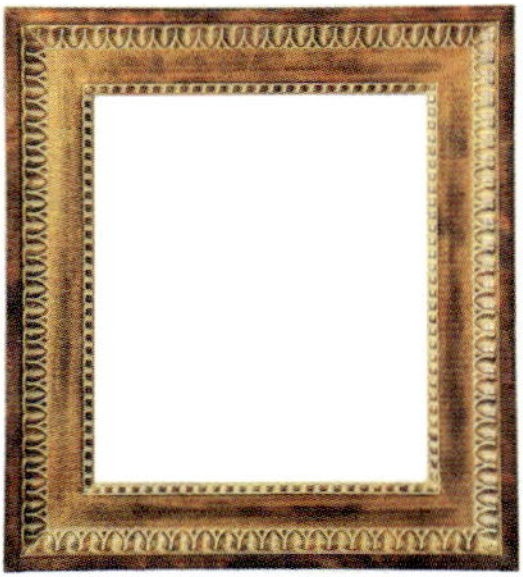

フランス縁「ルイ16世様式」

※上記の額縁は、それぞれの形式の特徴をとらえたレプリカであり、学術的な正確性を期するものではありません。

（画像提供：古径銀座店）

いいから不思議なものです。

これは、和食には日本酒、フランス料理にはフランスワインが合うのと同じで、**時代や作風は異なっても、絵画と額縁は同郷で合わせたほうがしっくりくる**、ということだと思います。


さらに、もう少し上級の話をしますと、シンプルな額縁を選ぶ傾向が強い現代アートの作品でも、その作風からルーツとなった西洋美術の作家を導き、出身国のデコラティヴな額縁に入れてみても、意外とマッチします。

額縁のそういったところにも注目してみると、一段とアートの世界が広がることでしょう。

2 額縁のプレートに隠された、素敵な素敵な物語

古い絵画の額縁を見ていると、作家名や題名が刻印された金属製のプレートが付いていることがしばしばあります。しかし、なかには作家名でもない、**それ以外の名前が刻印されているケース**もあります。

それは一体、どのような人物なのでしょうか？
作家でもないのにプレートに名前が彫られるとは……？
それでは、このようなプレートに隠された、ひとつの物語をご紹介することにしましょう。

時は1953年。この年にフランスのヴェルサイユ宮殿美術館の館長が亡くなり、後継者を探さなければならなくなりました。

1875年にナタン・ウィルデンスタインによって創立された、世界的権威を持つ画廊「ウィルデンスタイン」の3代目当主ダニエル・ウイルデンスタインは、懇意の間柄だった当時の文化大臣アンドレ・マリーから「次期館長に、誰か心当たりはいないか」と相談を受けます。

ダニエルは敬愛するジェラルド・ヴァン・デル・ケンプを推薦し、アンドレも受けいれました。しかし、任命のサインを入れた書類がアンドレからいっこうに届きません。そこで、アンドレの愛人とも親しかったダニエルは、その愛人に相談し、彼女はあることを言ってサインさせることに成功します。それは、「サインしないともう寝てやらない」という愛人ならではの脅し文句でした。じつにフランス的です。

こうしてヴェルサイユ宮殿美術館の館長となったジェラルドは、多大な実績を挙げました。民間企業や裕福な人々から、多くの寄贈を受けることに成功したのです。

1950年代後半のある日、そのジェラルドからダニエルに電話がかかってきました。それは「タレイラン家がドルーエ（フランソワ＝ユベール・ドルーエ：1727―1775）作の先祖の肖像画をヴェルサイユに寄贈してくれると言うので、一緒に見に来てほしい」という依頼でした。すぐに出かけていったダニエルは、その絵を見るなりこう断言しました。「これはコピーなんだよ。なぜならその絵には**『ドルーエに倣《なら》って』**というサインがあるからね」。

当時、絵を手放すときはそのコピーを描くという習慣があり、タレイラン家もその習慣に従っていたようです。この絵の本物は、タレイラン家が1908年にダニエルの祖父（ウィルデンスタインの創業者）、ナタンに売り、ナタンはそれをド・ルージェ家に売っていた、というのがあらましでした。

「本物を見たいかい？」と言ったダニエルは、ジェラルドを伴ってド・ルージェ家を訪れ、笑い話としてコピーのエピソードを高齢のド・ルージェに話しました。すると、「ちょっと失礼」と言って席を離れた彼は、妻と相談し、**その場で本物のドルーエをヴェルサイユに寄贈することを申し出た**のです。

この寛容な行為にジェラルドが感激したのは、言うまでもありません。

こうした経緯から、現在、ヴェルサイユに展示されている、このドルーエの作品の額縁に取り付けられたプレートには、敬意を表してド・ルージェ家の名前が刻まれているのです。

額縁のプレートには、こんな素敵な物語が隠されていることもあるのですね。

購入するつもりで、絵を鑑賞する

次に、絵画と本気で向き合って鑑賞するために、みなさんにも取り入れやすい鑑賞法をご紹介しましょう。

1 自宅でどう飾るかを、具体的にイメージしてみよう

たとえば、買い物にまつわるこんな経験はありませんか？

ぶらぶらとウィンドウショッピングをしているときは、目の前の商品をただ眺めるだけで通り過ぎていたのに、いざ「今日はこのアイテムを買おう！」と心に決めると、途端に商品を見る目に熱がこもる……。じっくりと吟味し、納得のいくものを選びたいからです。

これを、絵画鑑賞にも応用してみましょう。

ただ見るだけでなく、**実際に買うつもりで、どれにするか本気で悩んでみる**のです。

こうすることで絵画に真剣に向き合い、受け売りの評価でなく、自分の目で作品の魅力を検証できるようになるというメリットがあります。

ポイントは、あくまでも個人的趣味の視点で見るということ。たとえば、自宅の様々なスペースに飾ることをイメージしながら見ていきましょう。

家の中で、とくに絵を飾るとよい場所は4カ所。**エントランス（玄関）**、**ダイニング**、**リビング**、**寝室**です。

それぞれの場所に合わせて、ちょっとした選び方のコツを紹介します。

●エントランス…**お客様が最初に目にする空間**なので、明るく素敵なアートを飾ってお迎えしたいものです。あまり大きなものは飾れませんから、サイズは小さめのものを。**ひと目で印象に残るようなセンスが光る作品**を選ぶといいでしょう。

●ダイニング…**食をモチーフにした作品や花の絵画**を飾ると、食事をする場にふさわしい空間づくりができます。古い洋館の写真を見るとダイニングにはルノワールの描いた「いちご」やセザンヌの「りんご」、マティスの「花」の作品を掛けている写真を目にします。このような題材の作品が飾ってあったら素敵ですよね。

●リビング…家のメインスペースでもあるリビングには、**自分にとって一番の傑作**を飾ります。想像するのは自由ですので、ぜひ大富豪になったつもりで、財産が築けるぐらいの名画を選んでみてください。

●寝室…心身を休める場所ですので、風景でも花でも人物でもモチーフは問わず、**繊細で美しい絵画**がふさわしいと思います。眠りにつく前にその絵を見て、**ゆったりと落ち着いた気持ちになれるかどうか**がポイントです。

ここにご紹介したように、美術館ではただ作品を鑑賞するだけではなく、買うつもりになって、自宅のそれぞれの部屋にどの作品を飾るかを、本気で悩んでみてください。そして4点の作品を選びましょう。意外と、自分の知らなかった新たな一面が見えてくるかもしれませんよ。

2 その作品を「売ること」を考えてみる

もうひとつ、上級編としてマーケットを考えた視点で見るという方法もあります。つまり、自宅に飾るのではなく、**売ることを前提に選ぶ**ということです。

アートディーラーとしての経験上、宗教画や歴史画といった特殊なテーマのものは売りにくい傾向にあります。反対に売りやすいのは、**万人に好まれるような明るい印**

象のものです。

色使いも大事で、**世界共通の一番人気は黄色やオレンジ**です。こういった色には、エネルギーや太陽といったイメージがあり、見るだけで元気になるので好かれるのだと思います。

また、とくに共産圏の人に好まれるのは「赤」、欧米では神秘的で高貴なイメージの「青」、またオリエンタルな雰囲気の「モノトーン」も人気があります。

理由はわからないのですが、抽象絵画に限っていえば、さほど好まれないのが「緑」です。また「茶色」の作品もあまり好まれないような気がします。

思うに、地味になりがちな茶色の作品を家に飾りたい人はあまりいないということでしょう。

鑑賞を終えたら、感動を持ち帰ろう

美術展を楽しんだ後は、ミュージアムショップに立ち寄り、**鑑賞の記念としてポストカードを手に入れましょう**。私も、自分が一番感動した作品のポストカードがあったら、迷わず購入するようにしています。

ポストカードを高級な額縁に入れてみる

ただ、せっかく購入したのに、どこかにしまいこんでしまうという人は意外に多いもの。ここはぜひ、**家に飾る**ことをおすすめします。

そのために、まずは**ポストカード用の額縁**を用意するといいでしょう。

嬉しいことに、街の額縁屋さんでは、高級な額の端材を使ってポストカード用の小さな額縁をつくり、安価で販売している場合があります。少しでも額縁の素晴らしさを伝えたいという気持ちから、このような額縁を安価で提供しているようです。

大抵は店先のワゴンに並べてありますので、探してみてください。

たとえば東京であれば、六本木や銀座にある額縁屋さん、目黒通り界隈などのアンティークショップでも見つけることができます。旅行で海外に行ったときは、額縁屋さんを訪ねたり、蚤《のみ》の市などをのぞいたりしてみると、本物のアンティークフレームに出合えるかもしれません。見つけるコツは、高級な額縁を扱っている額縁屋さんです。そうでないと、高級な額縁の端材が出てきませんから。


このように、美術館ではひと味違った作品の見方をすることで、初めは全くわからなかった傑作も、やがてわかるようになってくるはずです。

そしていつしか、誰も見向きもしない作品にキラリと光る何かを感じるようになったら……、あなたの審美眼は確実に養われている、と言って間違いありません。

Column I

公立美術館と私立美術館ではこんなにも楽しみ方が違う！

みなさんは、公立美術館と私立美術館の違いは何だと思いますか？

運営費を公費でまかなっているのか、企業や私人が負担しているのか、という違いがあることは容易に想像できることでしょう。

コレクションにおいて、公立の美術館では、それぞれの分野ごとに学芸員が存在し、限られた購入予算の中から次はどの作品を購入するか委員会で議論して購入していきます。

一方、公費が使われていない私立美術館では、個人の財力のもと、一人のコレクターの審美眼によって、作品がコレクションされる傾向があります。私が最も大きな違いだと思うのは、この点です。

一人の趣味といってもコレクターは幅広く収集するもので、それが古いコレクターの美術館ともなれば面白さは倍増します。なぜならば、ひと昔前のコレクターのほうが唯我《ゆいが》独尊《どくそん》の傾向が強く、個性的なコレクションであることが多いからです。

それでは、公立の美術館では味わえない、個人コレクションの美術館ならではの楽しみ方をご紹介しましょう。

欧米には数多くの個人美術館が存在しますが、そのなかでもとくにアメリカの20世紀初頭に石油王や鉄鋼王、鉄道王と呼ばれ、巨富を築いたコレクターたちが住んでいたお屋敷が、そのまま美術館になっているところはおすすめです。

最も代表的な美術館がニューヨークにある「フリック・コレクション」です。この美術館は実業家ヘンリー・フリックの邸宅をそのまま改装したもので、世界で三十数点しか確認されていないヨハネス・フェルメール（1632－1675）の作品を、3点も所蔵していることでも有名です。

20世紀初頭に活躍した著名なアートディーラー、ジョセフ・デュヴィーンは1913年、フリックに依頼されてこの邸宅の建築と装飾のいっさいを任されます。デュヴィーンは早速、設計を友人のやっていたカレール＆ヘイスティングス社に頼みました。なぜならば、友人のヘイスティングは度々デュヴィーンの作品収蔵庫を訪れており、デュヴィーンのストック（作品在庫）を把握していたからです。

2人は作品の配置などを協議しながら設計を進めました。インテリアの装飾デザインはジョージ5世の調和のとれた内装で有名なサー・チャールズ・アロムが手がけています。

多くの観光客は、この美術館に訪れると絵画コレクションの素晴らしさに魅了され、調度品まではあまり見ていないと思います。しかし、随所に配された調度品の多くは、デュヴィーンによって選び抜かれた一級品ですから、見る価値は大いにあります。

たとえば、「フラゴナールの間」（左ページ下）にある大理石の暖炉はマリー・アントワネットの小宮殿バガテルを飾っていた本物の暖炉ですし、アントワネット愛用のデスクもあります。何気なく置いてあるロカイユ様式のチェアに貼られた生地は、フランス三大工房のひとつ、ボーヴェ製のタピスリーです。

博学だったフリックの収集したものは、美術品ばかりではありません。

本棚にも目を向ければ、シェークスピアやドン・キホーテの初版本なども見つけることができます。

ニューヨークにある私立美術館「フリック・コレクション」(上)。デュヴィーンによって選び抜かれた一級品の家具・調度品が並ぶ、「フラゴナールの間」(下)

このように、個人コレクションの美術館では絵画だけでなく、ぜひ調度品や本棚などもじっくり見てみましょう。背表紙を眺めるだけでも意外な発見があるはず。こうしたコレクションを通して、コレクターの人物像が垣間見えるのは個人美術館ならではです。

この美術館はニューヨークのメトロポリタン美術館から、わずか数ブロックの距離にあります。みなさんもメトロポリタン美術館に行ったら、ぜひフリック・コレクションに立ち寄ってみてください。

第2章

歴史を知るともっと面白い！
「古典美術から現代アートの世界へ」

西洋美術の偉大な13人の革命家たち

アートの見方はひとつではありません。見る角度も深さもいろいろでいいのです。しかし、ひとつ確実にいえるのは「**歴史を知ると、もっと楽しくなる**」ということです。

西洋美術には古代から現代まで一連の流れがあり、これを押さえることで断片的だった美術の知識がつながり、理解が深まるだけでなく、難解といわれる現代アートを理解する第一歩にもなります。

その流れを簡単に説明すると、４つの時代に区分できます。まず美術の基礎となる「**古典**」をつくる時代。古典を基軸とした美術アカデミーの「**権威**」を確立させる時代。権威を「**解体**」する時代。そして美術を「**再生**」する時代、となります。この4つの時代区分を覚えておくと、より理解しやすくなるでしょう。

では早速、西洋美術に革新をもたらした画家たちにスポットライトを当てながら、西洋美術の系譜をざっくりと追いかけていきたいと思います。

西洋美術の歴史に多大な功績を残してきた画家は数多くいるのですが、本書では、**それまでの価値観を覆し次の時代を切り拓いた**、という基準で大胆に13人に絞りました。偉大なる先達《せんだつ》に敬意を表し、革命家として紹介していくことにします。

I．古典美術の基礎——イタリア・ルネサンス期

① 平面に立体的空間を生み出したジョット

最初にクローズアップするのは、西洋絵画を三次元化したジョット（ジョット・ディ・ボンドーネ：1266頃—1337）です。

ジョットが登場するまでを振り返ってみると、古代ギリシア、ローマ人がエジプト

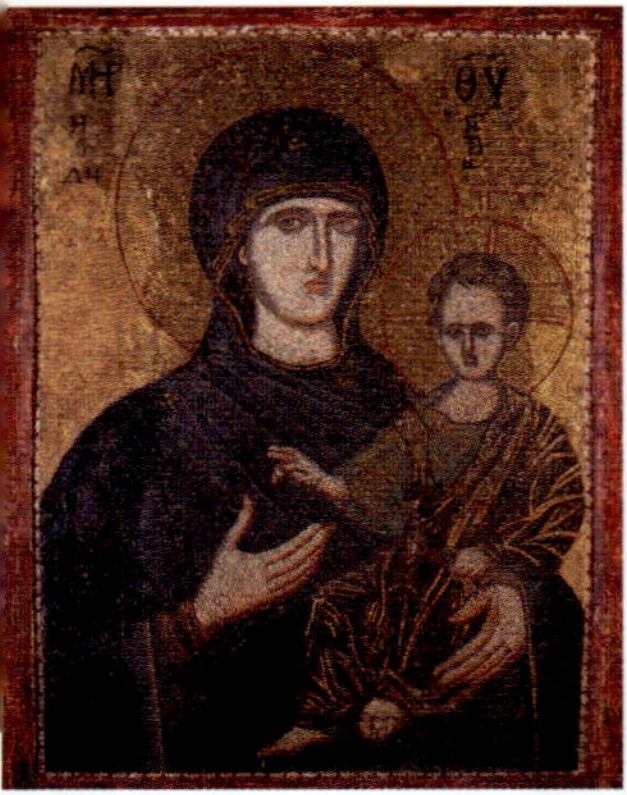
聖母子を描いたモザイクのイコン（13世紀）

ギリシア美術の代表作『ラオコーン像』

美術から影響を受け、神話の神々を理想的なプロポーションで表現し、彫刻芸術を極めていました。これが**古代ギリシア・ローマ美術**（紀元前7世紀～紀元前4世紀）です（右上）。

そして、ローマ帝国が衰退していく中でビザンティン帝国によるキリスト教普及の時代（4世紀～14世紀）が始まると、庶民に教義をわかりやすく伝えるため、イエス像や聖母子、聖人などが教会の壁にモザイクで描かれたり、個人の家の祭壇用として木の板に聖人を描いた「**イコン**」がつくられるようになりました（左上）。これらは礼拝を目的としているの

ジョット『荘厳の聖母』（1310年頃）

チマブーエ『荘厳の聖母』（1285-86年）

で芸術性などは必要なく、職人が制作していました。

　このローマ帝国滅亡からルネサンス幕開けまでの時代は１０００年間続き、美術が停滞することになります。このことから、この時代を中世と呼びます。

　この間、二次元的で禁欲的なままだった絵画から脱却しようとしたのが、西洋絵画史の教科書の最初に必ず出てくる**チマブーエ**（ジョヴァンニ・チマブーエ：１２４０頃－１３０２頃）と、冒頭でご紹介したジョット（上２点）です。

　13世紀にイタリアのフィレンツェで活躍したチマブーエは、まだ少年だった

ジョット『ユダの接吻』（1305年頃）全体（上）と、部分拡大（右）

ジョットの才能に驚き、弟子にしたという逸話がありますが、このジョッ**トがいなければ、イタリア・ルネサンスは起こらなかった**ともいわれるほど重要な画家です。

チマブーエはそれまで平面的だったキリスト教絵画の立体化を試みましたが、ジョットはそれ以上に**立体的な空間性と、人間的な精神性を表現できる卓越した描写力**を持っていました。
それがよくわかるのが、イタリア・パドヴァにあるスクロヴェーニ礼拝堂のフレスコ画**『ユダの接吻』**（右）です。

「ユダの接吻」とは、ユダが祭司長から銀貨30枚を受け取る代わりに「私が接吻した人がイエスなので、その人を捕まえてくれ」と言って、イエスを裏切る話です。

これによりイエスは捕まり裁判の後、磔刑《たっけい》にされるのですが、この絵は、まさにそのユダが恩師であるイエスを裏切る瞬間を描いたものなのです。

ご覧ください！　カネで恩師を売るこのユダの顔。そして、そのすべてを見定めていたイエスの目を――。

そこにはもう、イコン特有の無感情なギョロッとした目はありません。イエスの力ある目の表情に、ジョットの**傑出した描写力**が感じられるはずです。

② 空間に正確な奥行きをつくり出したマサッチオ

絵画の祖とも呼ばれるジョットから生まれたルネサンスの花芽《はなめ》は、初期ルネサンス

の時代に育まれ、盛期ルネサンスの時代に一気に花開きます。

開花前夜となる初期の時代を代表する作家は数々いますが、ルネサンス絵画を語る上で欠かせないのが**マサッチオ**（1401―1428）です。

そもそもルネサンスとは、「再生」「復興」を意味するフランス語であり、14世紀末にイタリアから始まりヨーロッパに興った文化芸術運動です。

中世はキリスト教の倫理観と世界観を厳格に守る封建社会が続いた時代でした。しかし、12世紀になるとビザンティン帝国が弱体化し、一方で貿易や金融業で裕福になっていったイタリアに進歩主義的な流れが生まれ、やがて**人間性を尊重したギリシア・ローマ文化を取り戻そう**という機運が高まっていきました。

これが、**古典復興＝ルネサンス**です。

なかでも、繊維業や金融業が栄え、裕福な商人が増えたフィレンツェでは、従来、絵画制作の発注主であった君主や教会に加えて、大商人がパトロンとなり絵画の注文がいっそう増えていきました。その需要からここに多くの才能が集まり、ルネサンスが最初にこの地で花開くことになったのです。

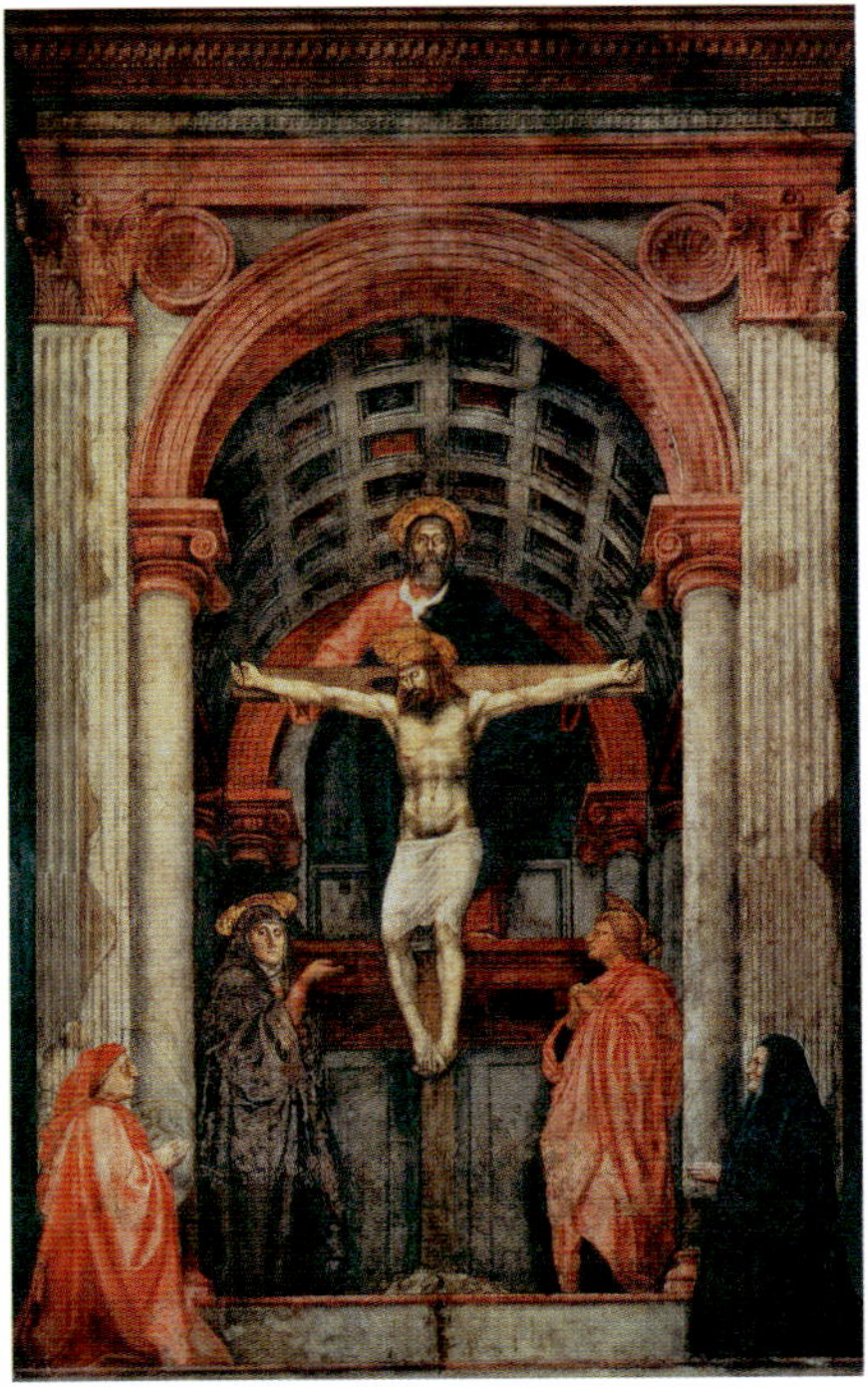

マサッチオ『聖三位一体』(1428年)(上)と、
一点消失遠近法の解釈図(右)

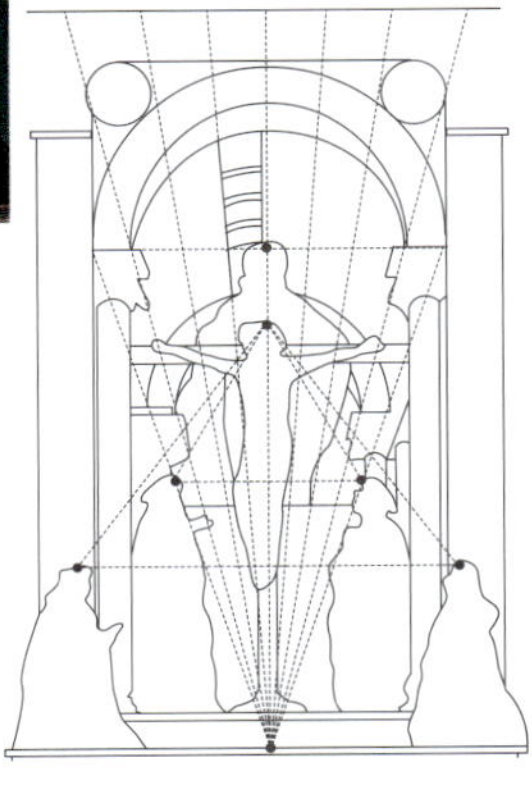

ダ・ヴィンチ『最後の晩餐』(1498年頃)(上)と、一点消失遠近法の解釈図(下)

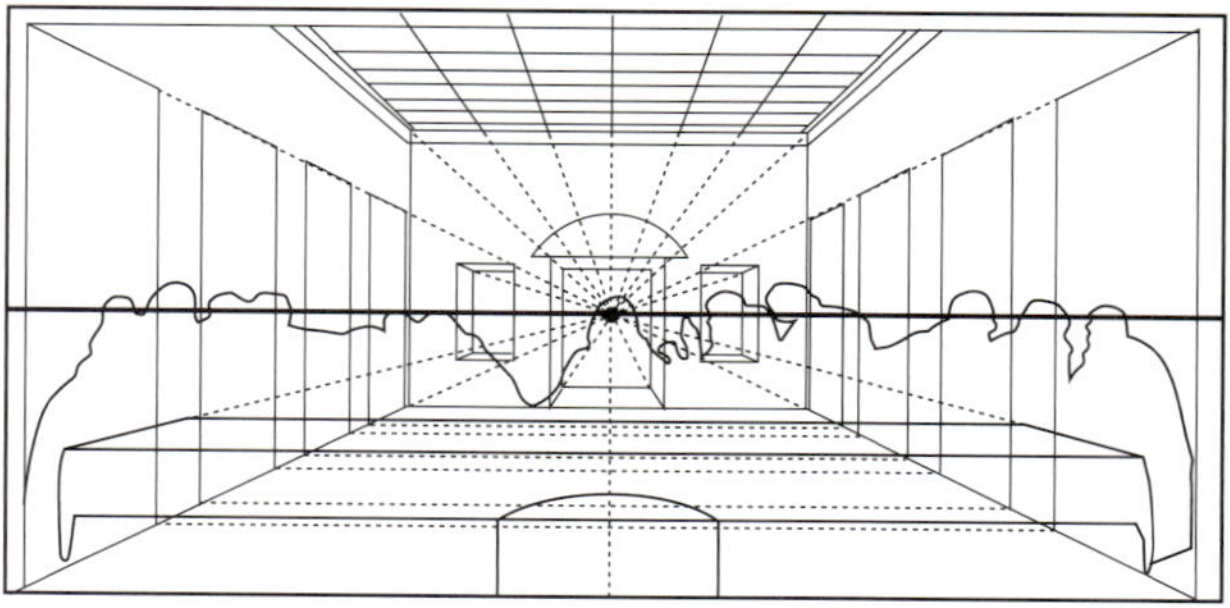

ルネサンス初期の巨匠マサッチオはこのフィレンツェに生まれ、短命ながら偉大な功績を残しました。

大芸術家のジョットをリスペクトして空間性を追求し、絵画に初めて「**一点消失遠近法**」を取り入れ、画面に正確な奥行きをつくったのです。

マサッチオの最高傑作といわれる『聖三位一体』を見てみましょう（59ページ左上）。イエスの頭を頂点に三角形を組み、見る者の視点をイエスに向かわせます。そして、祭壇下の両脇にひざまずく夫婦の中央に消失点を置き、そこから放射状に描くことによって、まるで**壁の向こう側に空間が広がっているかのように見せる**ことに成功しています（59ページ右下）。

この作品は、後のレオナルド・ダ・ヴィンチ（1452―1519）の『最後の晩餐』（右）や**ラファエロ**（ラファエロ・サンティ1483―1520）の『アテナイの学堂』にも大きな影響を与えました。

③画期的なぼかしや遠近の技法を確立したダ・ヴィンチ

初期ルネサンスを経て、時代はいよいよ盛期ルネサンスへと移り、レオナルド・ダ・ヴィンチ、ミケランジェロ、ラファエロの三大スターによってルネサンス芸術は絶頂期を迎えます。そして、**古代ギリシア彫刻の肉体表現とルネサンス絵画によって、その後の西洋美術の基礎となる「古典」が確立される**ことになるのです。

この盛期ルネサンスの革命家といえば、改めて言うまでもなく巨匠レオナルド・ダ・ヴィンチでしょう。彼は、音楽、建築、数学、物理学、解剖学、気象学、力学、天文学など様々な分野を研究し、ヘリコプターや戦車といった斬新なアイデアなどを手稿（手書きのメモ）に残した万能の天才としても知られています。

絵画においても異才を発揮し、ものには輪郭線が存在しないことから「**スフマート**」と呼ばれるぼかしの技法を発明しました。晩年の作品『モナ・リザ』は、陰影を丹念にぼかすこの技法で描かれています。

ダ・ヴィンチ『聖アンナと聖母子』(1508年頃)

ダ・ヴィンチのもうひとつの発明が空間を描く新たな技法となる「**空気遠近法**」です。これは、遠景は大気の性質上、青みがかって見えるという自然観察から発見した技法で、上の『**聖アンナと聖母子**』に用いられています。

手前は茶色で色彩を強くし、遠景は薄青い色調で描くことで巧みに遠近感を表現しているのがわかるでしょう。また、聖アンナの頭を頂点とした三角形の構図により、画面に安定感を与

ラファエロ『小椅子の聖母』(1514年)

えています。

なお、ダ・ヴィンチが確立したこれらの画期的な技法に影響を受けたラファエロは、色彩、構図、感情表現、精神性を見事に調和させた完璧な作品『**小椅子の聖母**』(上)を描き、古典絵画の頂点を極めました。

「えっ、古典の頂点はダ・ヴィンチではなくラファエロなの？」と思った方もおられるでしょう。確かに技術の革命家としてはダ・ヴィンチです。しかし、西洋美術史ではルネサンスの頂点はラファエロになるのです。63ページと右ページの2点をよく比べてみてください。ダ・ヴィンチのスフマートはぼかし過ぎて、少し気持ち悪いと思いませんか？　自然な美しさという観点でいえば、ラファエロに軍配があがることがすぐにご理解いただけるかと思います。

Ⅱ．美術アカデミーを確立させた「権威」
——後期ルネサンス〜19世紀美術アカデミー

16世紀になると、盛期ルネサンスで頂点に達した**「古典」を様式（マナー）化して繰り返すだけの「マニエリスム」**が生まれます。いわゆる「マンネリ」の語源で、聖母などの体がS字曲線で描かれているのがこの様式の特徴です。

一方、イタリア・ローマでは、マルティン・ルターの宗教改革によって弱体化したカトリック教会が新派のプロテスタントに対抗し、話題性で信者を再び教会に呼び込むために、ドラマチックな天井画や絵画を画家に要求するようになりました。

ここから「**バロック様式**」が誕生し、瞬く間にヨーロッパ中に広がっていきました。

この様式の特徴は、**明暗対比による強烈なコントラストとインパクトのある構図で、絵画を過剰なまでに劇的に演出する**ことです。

バロックを代表する作家としては、イタリアの**カラヴァッジョ**（ミケランジェロ・メリジ・ダ・カラヴァッジョ：1571—1610）、スペインの**ベラスケス**（1599—1660）、オランダの**レンブラント**（レンブラント・ファン・レイン：1606—1669）、**フェルメール**など多くの大家がおり、いずれもバロック様式を踏まえつつ独自の世界観をつくり上げていますが、ここではベルギーで大規模な工房を運営していた**ルーベンス**（ペーテル・パウル・ルーベンス：1577—1640）を取り上げたいと思います。

④ オペラのごとく劇的に描いたルーベンス

ルーベンスといえば、日本でもおなじみのテレビアニメ『フランダースの犬』で主人

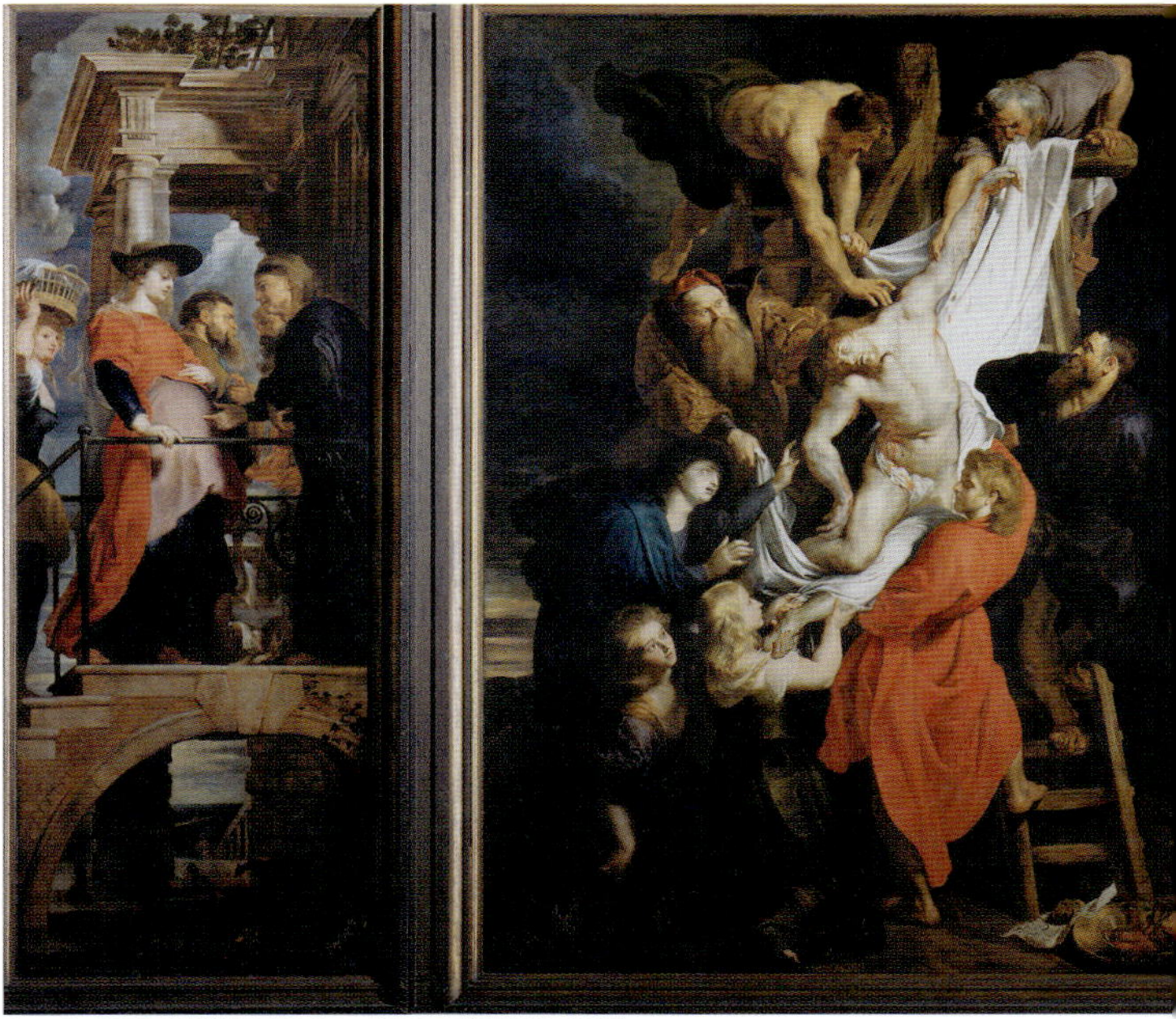

ルーベンスの『三連祭壇画』のひとつ『キリスト降架』（1610年）

公のネロ少年がどうしても見たかった作品、アントワープ大聖堂の『三連祭壇画』を描いた画家です。

この作品は、『キリスト昇架《しょうか》』（十字架にかけられる）、『キリスト磔刑《たっけい》』（磔《はりつけ》にされ槍で突かれる）、『キリスト降《こう》架《か》』（十字架から降ろされる）の三作からなります。いずれも縦4mにも及ぶ大作で、明暗のコントラストにより主題を劇的に浮かび上がらせています。上に、『キリスト降架《こうか》』の作品を掲載しましたのでご覧ください。

オペラはこの時代に生まれたものですが、まるでそのオペラでも見ているかのように、心に直接訴えかけてくるドラマチックな表現だと思いませんか?

まさに、ルーベンスは**バロックの巨人**といえるでしょう。

18世紀になると、芸術の舞台はフランスへと移っていきます。

15世紀から始まった大航海時代の貿易で力をつけたフランスは、17世紀にルイ14世のもと**フランス王立絵画彫刻アカデミー**を創立。宮殿を雅《みやび》に飾る「**ロココ様式**」もこの頃誕生します。

そして、1748年にイタリアでポンペイ遺跡が再発見されると、再び古代ギリシア・ローマ美術を理想とする「新古典主義」という新たな思想が生まれ、次第に本流になっていきます。その後、1789年にフランス革命が起きると、芸術は王宮から市民階級へと広がり、享楽的な宮廷美術への反発が広がりました。

こうした時代の流れの中で、**ドミニク・アングル**(1780―1867)が確立した、ラファエロを手本とする「新古典主義」は、美術界の権威となっていったのです。

Ⅲ．美術アカデミーという権威の「解体」——19世紀フランス印象派～ポップアート

形式を重んじ、理想の美を求める新古典主義が台頭すると、それに対抗し、もっと自由な発想で感動や情熱を大胆に表現する「**ロマン主義**」が生まれました。

そして、次なるアンチ新古典主義として誕生したのが「**写実主義**」です。非現実的な理想美を求めるアカデミーに対して、ドラマチックな表現を追い求めたロマン主義とも異なり、現実をありのままに捉えて表現しようとした写実主義は、美術の新たな潮流となりました。

⑤権威に抗い、見たままの〝今〟を描いたクールベ

この写実主義の旗手として、真っ向から権威に抗ったのがフランスの**ギュスターヴ・クールベ**（1819―1877）です。

19世紀中頃になると、アカデミー画壇は完全な権威となっていました。当時は、アカデミーに作品を応募し、審査に通って、初めてサロンに出展が許されたのです。買い手となるブルジョワたちはサロンの出展作品以外は見向きもしなかったので、作家

クールベ『オルナンの埋葬に関する歴史画』（1849年）

にとってサロンに出展できるかどうかは死活問題でした。

もちろんクールベも応募しましたが、ことごとく落選します。というのも、彼は**アカデミーが理想とする古典を否定し、自分の目で見た「今」を描いた**ためです。ごく普通の庶民や労働者の姿や現実社会を描いた彼の作品は、アカデミー画壇からは酷評されました。

その象徴的な作品が『**オルナンの埋葬に関する歴史画**』

（上）です。それまで「歴史画」といえば、たとえばダ・ヴィンチの『最後の晩餐』のような宗教画や、ダヴィッドの『皇帝ナポレオン一世と皇妃ジョゼフィーヌの戴冠式』のような英雄伝を理想化したものでした。
ところが、クールベの作品は巨大なキャンバスに、田舎の葬儀に集まった名も知れぬ村人たちを描き、あたかも歴史上の一大事件かのように仕上げたのです。
当時としては前代未聞の非、

常識な作品だったわけですが、歴史画の概念を覆《くつがえ》さんとするクールベの挑戦とも受け取れます。まさに時代のアナーキストだったわけです。

「目に見えない天使は描けない」と発言し、あくまでもリアリズムを追求したクールベ。**権威の厚い壁に挑んだ革新的な絵画の世界は、後の印象派の道筋をつくった**のでした。

⑥ 自然の光を色で表したモネ

ちょうど写実主義が生まれた頃、ある2つのものが発明され、新たな芸術世界の幕開けに大きく作用しました。

そのひとつがカメラです。写真の登場により、絵画は本物そっくりに描く意味が失われました。

そしてもうひとつが、持ち運びできるチューブ入り絵の具です。これにより、19世紀後半、屋内のアトリエで描くという常識にとらわれず、陽光が輝く野外へと制作の場を移す画家たちが現れました。

彼らは写真ではできない芸術表現を目指し、自然の光や空気感を描写しようとした

モネ『印象、日の出』（1872年）

のです。

この若き画家たちは、当時まだ権力を振るっていたサロンに反旗を翻《ひるがえ》し、1874年に第1回の展覧会を開催。そこに出品された絵画『印象、日の出』（上）から、「**印象派**」と呼ばれるようになりました。

この作品を描いたのが、印象派の巨星**クロード・モネ**（1840―1926）です。彼は移ろいゆく光をいかに捉えるかということに力を注いだ画家です。

このモネの独特な荒いタッチには、理由があります。それは、刻々と移ろいゆく光を描くには素早く描く必要があったのです。

また、彼は絵の具を混ぜて色をつくって塗

るのではなく、**チューブから出した絵の具をそのままキャンバスに何色も重ねて光の様子を表し**ました。これは、絵の具の三原色（赤、青、黄）は混ぜるとどんどん色が沈み、黒になるのに対し、光の三原色は混ざると白になるという矛盾を克服するために生み出した、まさに発明ともいえる手法でした。

このためモネのパレットに置かれる絵の具の色は、虹と同じプリズムで現れる7色と、重なると現れる白色が基本となり、加えてその補色が並べられました。

これこそが、モネが**光の魔術師**と称えられた所以《ゆえん》であり、このあくなき探究心による成果は、現代アートの作家にも多大な影響を与えたのです。

⑦風景を幾何学的にブロック化したセザンヌ

印象派の登場により、西洋美術の流れは大きく変わり、美術アカデミーの権威に対する解体（反抗）の歴史が始まります。印象派は、滑らかな陰影と遠近法を駆使して二次元の絵画をいかに立体的に見せるかといったアカデミー的な伝統にとらわれず、まさに一瞬の光と印象をキャンバスに描き出しました。

セザンヌ『サント・ヴィクトワール山』（1902年）

印象派の後、19世紀末に活躍したのが後期印象派です。重要な作家としては、**ポール・セザンヌ**（1839―1906）、**ポール・ゴーギャン**（1848―1903）、**フィンセント・ファン・ゴッホ**（1853―1890）が挙げられます。しかし、共通する様式があるわけではなく、それぞれが独創的な思想や技法を持ち、20世紀美術の礎を築きました。

とくに、「近代絵画の父」として知られるセザンヌは、独自のスタイル「**セザニアン**」を確立しました。

その技法をはっきり見て取れるのが、セザンヌの故郷の山を描いた風景画『サント・ヴィクトワール山』です（上）。

印象派は変わりゆく光に着目しましたが、セザンヌはものの形に注目し、**山の風景をブロック化してモザイクのように組み合わせ**ました。この独特のタッチが「セザニアン」と呼ばれ、やがてはピカソの「**キュビスム**」をはじめ、「**構成主義**」や「**抽象画**」へとつながっていくのです。

⑧ 型破りの「多視点」を創出したピカソ

20世紀に入ると「**フォーヴィスム**」（野獣派）という新たな表現が生まれました。作品を見た批評家が「フォーヴ＝野獣」と評したことから名付けられた通り、**実物の色を再現するのではなく、激しく自由な色彩表現**が特徴です。

アンリ・マティス（1869―1954）らを中心とするフォーヴィスムによって**色彩が解放**された後、次には「キュビスム」（立体派）によって**形が解体**されました。

このキュビスムの生みの親が、言わずと知れた20世紀の巨匠、**ピカソ**（パブロ・ピカソ：1881―1973）です。

発端となったのは、1907年にピカソが発表した『**アヴィニヨンの娘たち**』でし

ピカソ『アヴィニヨンの娘たち』(1907年)

た（上）。

当時、人々に衝撃を与えたこの作品は、作家仲間からさえも理解されず、不評を買いましたが、**ジョルジュ・ブラック**（1882―1963）はその革命性に気づき、以降ピカソと共同でキュビスムを進化させていきました。マルセル・デュシャンの伝記によると、実はそのブラックでさえ、この作品を理解するのに2年の月日を要したといわれています。それほど斬新だったのです。

では、ブラックが見抜いた「革命性」とは、いかなるものだったのでしょうか。『アヴィニヨンの娘たち』の女性の顔を見てみると、目は正面から見たところ、鼻は横から見たところといったように、**ひとつの作品に複数の視点が混在する「多視点」となっている**のがわかります。これは、単一の焦点によるルネサンス以来の遠近法を放棄した、**型破りの表現**であり、**美術史上最大の革命**といっても過言ではありません。

風景を幾何学的に描いたセザンヌの影響を受け、キュビスムを創出したピカソ。以後の作家に与えた影響は計り知れません。

⑨ 便器で既成概念を覆したデュシャン

フォーヴィスム、キュビスムと進み、次々に絵画は解体されていきます。次に登場した「抽象絵画」に至っては、もはや描く対象の形すらなくなりました。

芸術のあり方が大きく変容する中で、なんと「男性用便器」をアートにしてしまったのが、フランス出身でニューヨークでも活動していた**マルセル・デュシャン**（1887―1968）です。

キュビスムに影響を受けたデュシャンは独自にそれを進化させ、油彩画の『**階段を**

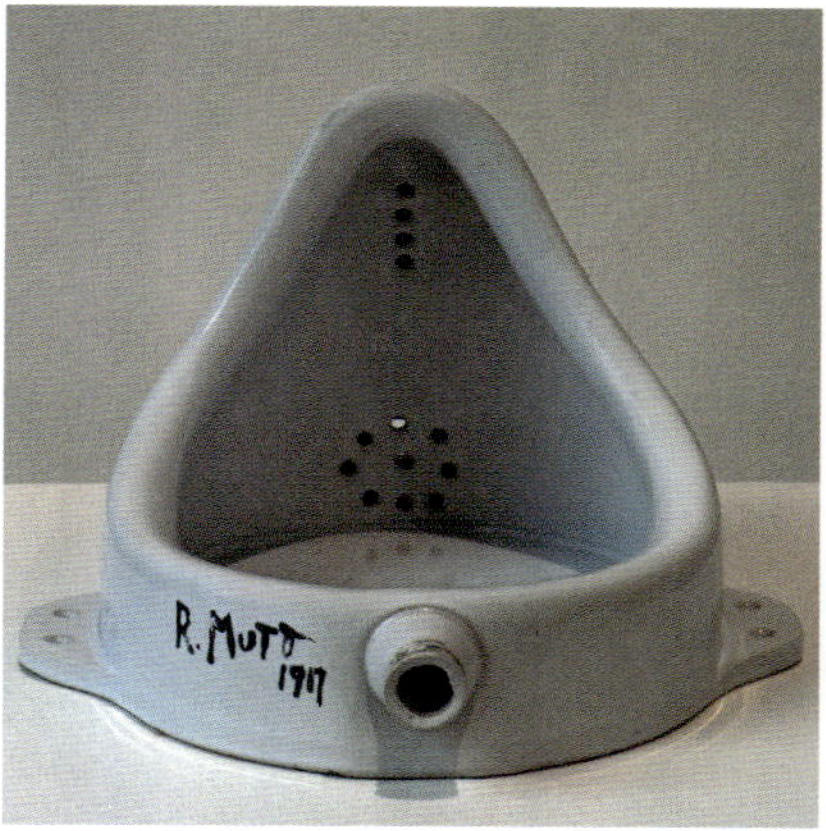

デュシャン『泉』（1917年）

デュシャン『階段を降りる裸体No.2』（1912年

降りる裸体No．2』を描きます（右上）。これは、「階段を降りる」という連続した動きを撮影した写真を参考にしたもので、デュシャンは**連続運動を分解して再構成することで二次元の画面に「運動」を取り入れよう**としたのでした。

しかし、次第にそれまでの絵画を、目と技術に頼りすぎている「網膜的」なものと否定するようになります。

その結果、絵画制作を放棄し、観念によって生み出される表現を探求し始めたのです。デュシャンは「芸術作品の本質は、それ自体が美しいかどうかではなく、それが観る人の思考を促すかどうかである」と語っています。そして、「**レディ・メイド**（既製品）」もアートになり得ると提唱し、『自転車の車輪』など様々な作品を制作しました。なかでも、物議を醸したのが、男性用便器に「R.Mutt」というサインをしただけの『泉』という作品です（前ページ左上）。デュシャンはこれを1917年のニューヨーク・アンデパンダン展に出品しましたが、展示されることはありませんでした。「R.Mutt」というサインのせいで、デュシャンの作品だと気づかれず、作者不明の作品として扱われたからです。

しかしその後、これは芸術に対する既成概念や価値観に一石を投じる重要な作品となり、**「概念芸術＝コンセプチュアル・アート」の出発点**となりました。

アートは形を作る前に、すでに頭の中に存在しているというわけです。

⑩ 自ら〝アート〟になったダリ

1910年代の第一次世界大戦中、ヨーロッパやアメリカで同時多発的に起きたのが、**既存のあらゆる価値体系に反発する「ダダイスム」**と呼ばれる芸術運動です。デュシャンもニューヨーク・ダダイスムに参加した作家のひとりでした。

このダダイスムから離脱したフランスの詩人アンドレ・ブルトンが、1924年に

サルヴァドール・ダリ（1904–1989年）

ダリ『記憶の固執』（1931年）

「シュルレアリスム宣言」を発表したことで、新たな芸術運動である**「シュルレアリスム」**が生まれます。

多くの作家がキュビスムからダダイスムを経てシュルレアリスムに関わりましたが、シュルレアリスムの代名詞といわれるのがスペインの**サルヴァドール・ダリ**（1904—1989）です。

1931年制作の『記憶の固執《こしゅう》』（前ページ下）をはじめ、夢や記憶、無意識の世界を写実的に描いた数々の不思議な作品もさることながら、なんといってもダリが革新的だったのは**「彼自身がアートだった」**ということです。

ダリといえば、ピンとはねたカイゼル髭《ひげ》や目を大きく見開いた顔がトレードマーク（前ページ上）ですが、実は根っからの〝変わり者〟だったわけではありません。

親しい友人と食事している最中はごく常識的に振る舞っていたのに、周囲に「ダリだ！」と気づかれた途端、奇人のダリに戻ったというエピソードからもわかるように、彼は表現者としてシュルレアリストを演じていたのです。

ダリの作品はもちろん、彼のセンセーショナルな発言や奇行そのものが、斬新で独

ポロック『convergence』(1952年)

創的な芸術表現だったといえるのではないでしょうか。

⑪ ピカソに憧れ、驚きの離れ業を考え出したポロック

第二次世界大戦後になると、芸術の発信地はフランスからアメリカへと移り、とくにニューヨークを中心に「**抽象表現主義**」が生まれます。そのムーヴメントをリードした画家が、アメリカの**ジャクソン・ポロック**(1912—1956)です。

上の作品は彼の代表作ですが、これだけを見ると「これなら自分にも描けそう!」と誰もが思うことでしょう。しかし、彼は美術史

上、最もエポックメーキングな制作スタイルを生み出した革命児なのです。

通常、絵画とは絵の具のついた絵筆を直接キャンバスにのせて描くものですが、ポロックは**絵筆をキャンバスから離した状態で作品を描く**という、まさに離れ業を発案しました。

その制作プロセスは、キャンバスを床に広げ、絵の具や塗料を上から垂らすというもの。刷毛やコテなどで絵の具をバッシャッと撒き散らす「**ドリッピング**」や、ポターっと垂らしながら線を描く「**ポアリング**」という技法を使い、絵の具の落ちる位置や量をコントロールしながら制作していきました。

キャンバスを床に広げることで上下左右という概念はなくなり、キャンバスを回り込みながら描くこの手法を、ポロックは「アクション・ペインティング」と呼び、制作する行為にアートがあり「キャンバスは闘技場である」と語っています。

従来の絵画技法から脱却し、前衛的な制作スタイルを追求した根底には、次々に新しい画風を打ち出した天才ピカソへの憧憬や嫉妬があったといわれています。

アルコール依存症に苦しみ、44歳のときに自動車事故を起こして亡くなりますが、ポロックが開いた新次元の表現は、作家の動き自体がアートになる「**パフォーマン**

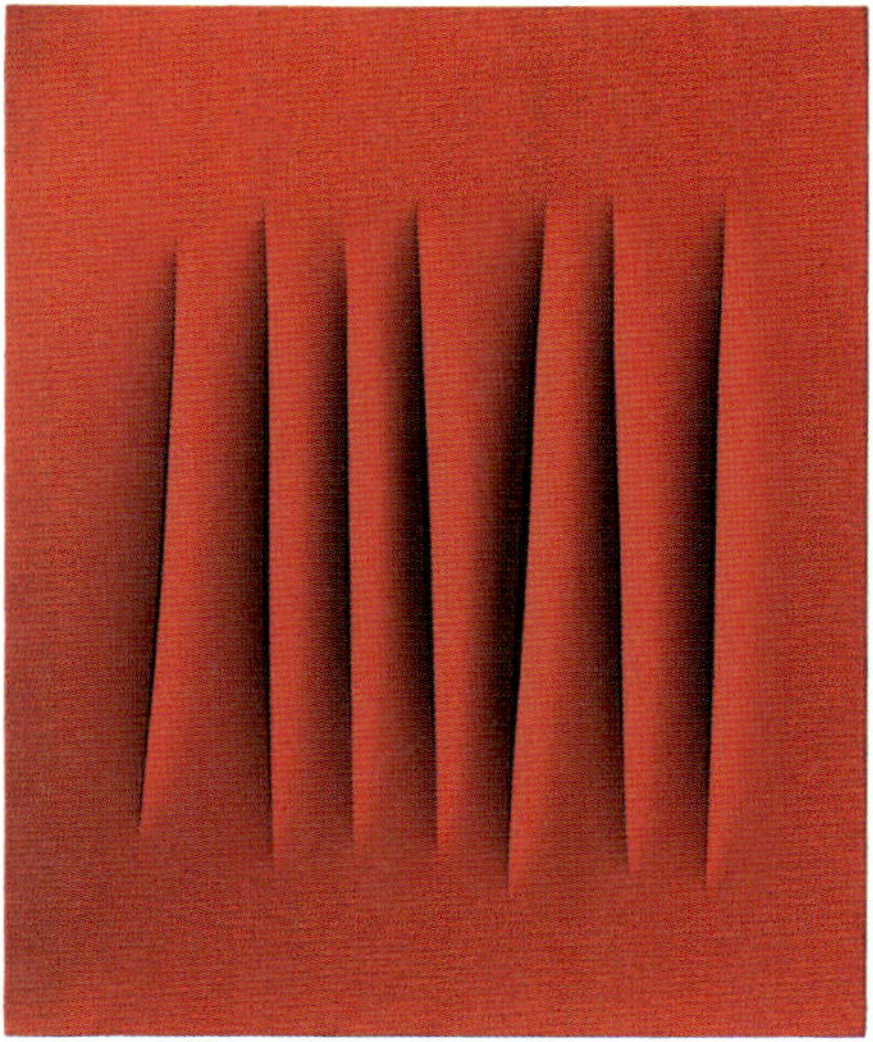

フォンタナ『空間概念』（1966年）

ス・アート」の先駆けとなりました。

⑫ 画面に空間を生み出したフォンタナ

芸術運動が多発し、従来の絵画形式が絶対ではなくなった20世紀は、美術の概念が大きく変貌した時期でもあります。

なかでも、画家であり彫刻家でもあったアルゼンチン生まれのイタリア人、**フォンタナ**（ルーチョ・フォンタナ：1899―1968）は大革命を起こしました。

なんと、絵筆ではなくナイフを

持って、〝キャンバスを切り裂いた〟のです。

「それの一体、何がすごいの⁉　そんなの芸術じゃない！」と、疑問や不満を持つ読者の方がおられても不思議ではありません。

ではここで、思い返してみましょう。

そもそも西洋美術の歴史は、**二次元の画面にいかに空間を描き、立体的に見せるかということを追求してきた**歴史でもありました。マサッチオやダ・ヴィンチにいたっては、いかにして二次元に三次元の世界を表現するかに心血を注いだ結果、「一点消失遠近法」や「空気遠近法」を編み出したほどです。そして、光と影を巧みに描いて立体的な三次元の世界を描きました。

さて、そこから時代はずっと下って第二次世界大戦後、ミラノで活動していたフォンタナも、歴史上の巨匠たちと変わらず「空間」の持つ意味を問い続け、ついにキャンバスを鋭く切り裂いたり、穴を開けたりする表現にたどり着きます。

それは『**空間概念**』（前ページ）という作品として発表されました。

これはすなわち、キャンバスを切ることで画面に**本物の空間**をつくり出し、視覚化したものです。これぞまさに、**絵画の枠組みを超越した、画期的な表現**と言うよりほかありません。

しかも、フォンタナは作品の裏にわざわざ黒い布を張り、切り裂いた空間が立体的に美しく見える細工を施すなどして、「新しい美」の表現にこだわったのでした。

Ⅳ. 解体した美術を全く新しい概念で「再生」
――ポップアート〜現代アート

⑬ 美術に資本主義思想を取り入れたウォーホル

革命家のラストとしてご紹介したいのは、アメリカの**アンディ・ウォーホル**（1928―1987）です。

彼は、1950年代半ばにイギリスで始まった「ポップアート」を、60年代に入ってからアメリカで広めたポップアート運動の立役者です。

「ポップアート」とは、それまで芸術とは程遠いと思われていた「広告」や「漫画」

ウォーホル『キャンベル・スープ缶』(1962年)

などの実用的・大衆的なビジュアル表現をモチーフとしたアート作品のことで、ウォーホルはこれにより、一躍、芸術界の寵児となりました。

彼は、アメリカの**大量生産、大量消費社会を主題とした作品**を次々と発表しました。おなじみの『マリリン・モンロー』や『キャンベル・スープ缶』(上)など、身近なものをモチーフとした作品は、パターンを繰り返し表現することで、モノを大量に生産して消費する**資本主義経済への強烈な批判のメッセージ**を込めたとされています。

さらにはこれらの表現によって、アートを大衆化することにも成功したのでした。

ここまで、西洋美術の流れを大まかに追ってきましたが、簡単にいってしまうと、ルネサンス期に美術の基本となる「**古典**」がつくられ、それがフランス美術アカデミーの「**権威**」となり、19世紀からはその権威を「**解体**」する時代が始まり、いかに視覚的に新しいものを生み出すかを追求する作業が行われた、ということになります。

そして、美術はどんどん抽象化、観念化し、解体しつくしたところで、権威の解体から脱した、全く**新しい概念**を持つ「**ポップアート**」が誕生したというわけです。

いわば「ポップアート」はこれまで続いた西洋美術史のひとつの終着点でもあり、「現代アート」への出発点でもあるといえます。

こうした歴史の流れによって美術の新時代が切り拓かれ、アートの可能性が広がり、今日の「現代アート」につながってきたのです。このように見ていくと、全く新しい芸術表現に思える現代アートにも、実は、**西洋美術の流れやDNAが脈々と受け継がれている**ことが、おわかりいただけるのではないかと思います。

◆

◇

◆

名画誕生の背景を探る――「あの作品」の影響を受けていたのか！

アート作品の中には**過去の名作からインスピレーションを受けて制作**されているものが多々あります。何の予備知識もなく見るのではなく、「この作品には、あの作品が影響していたのか！」と知ることで、見え方が全く違ってくることがあります。

そこでここからは、いくつかの作品を例に、影響度をわかりやすさのレベルで分け、紹介していくことにしましょう。

【初級編1】面長な顔のルーツは…？

――アフリカン・アートの原始的な美しさに魅了されたピカソとモディリアーニ

まずは、ピカソの代表作でもある前出の『アヴィニヨンの娘たち』（1907年）です。キュビスムの原点となった有名な作品ですが、さて、こちらは何から着想を得ているのでしょうか。

答えは、**アフリカン・プリミティヴ・アート**（アフリカ原始美術）です。

1900年にパリで万博が開催され、展示されたアフリカやアジアの美術が西洋美術に新風を吹き込み、芸術家たちに刺激を与えました。

とくに、アフリカン・アートはフランスの植民地であったコートジボワールやコンゴなどから持ち込まれ、パリでも蚤の市などで容易に手に入ったのです。

パリの画商ポール・ギョームはアフリカン・アートの展覧会を最初に開いたことでも知られ、なかでも価値のある傑作を見出し、作家たちにも販売していました。ピカソはそのアフリカの仮面や彫刻の原始的な美しさに興味をもち、自身の作品に融合させ、『アヴィニヨンの娘たち』（次ページ右下）を完成させます。この作品に描かれている娘たちの顔（とくに右上の女性など）をよく見ると、アフリカの仮面（次ページ上）を想起させませんか？

また、ポール・ギョームと親交のあったフォーヴィスム（野獣派）の画家、モーリ

アフリカのマリの仮面

モディリアーニ『座るジャンヌ・エビュテルヌの肖像』(1918年)

ピカソ『アヴィニヨンの娘たち』(1907年)

ス・ド・ブラマンクやアンドレ・ドランはアフリカン・アートに大きく影響され、自身もアフリカン・アートの質のよいコレクションを持っていました。

イタリアの画家で主にパリを活動拠点としていた**モディリアーニ**（アメデオ・モディリアーニ：1884―1920）もまた、アフリカン・アートの影響を受けた作家のひとりです。モディリアーニが描く、縦に引き伸ばされたアーモンドのような面長の女性の顔（右ページ左下）には、その影響が色濃く表れています。

【初級編2】欲張りな抽象画
モネとセザンヌの要素を取り込んだモンドリアン

白い下地のキャンバスに描かれているのは、黒い線と赤・青・黄の三原色のみ……。

これは、抽象絵画の画家として有名なオランダ出身の**ピエト・モンドリアン**（1872―1944）の作品『**黄・赤・青と黒のコンポジション**』（次ページ右上）です。

モンドリアンは、初期の頃には風景画などを描いていましたが、50歳を過ぎて1930年代に描かれたこの作品は完全な抽象画で、一瞥《いちべつ》しただけでは全く意味が理

モネ『散歩、日傘をさす女』（1875年）

モンドリアン『黄・赤・青と黒のコンポジション』（1921年）

解できないと思います。

これは、一体何から影響を受けた作品でしょうか？

見た目には全く表れていませんが、実は**印象派のモネ**と**後期印象派のセザンヌ**の絵画様式の影響を受けています。

まず、この絵で使われている色に注目してください。**「赤」「青」「黄」の3色**しか使われていません。赤・青・黄といえば、光の魔術師といわれたモネが、キャンバスの上で表現しようとした光の三原色がまさに赤・青・黄でした。

モンドリアンは、モネの作風を取り込むに当たり、この「三原色」に着目したというわけです。

もうひとつは、セザンヌの『サント・ヴィクトワール山』（75ページ参照）に象徴される、「**ブロック**」や「**構成**」といわれる表現です。

これをモンドリアンはさらに発展させて、**幾何学的な「構成」**にしました。

すなわち、**印象派三大巨匠の要素を取り込み、ミニマムな表現に徹した結果『コンポジション』**という作品が生まれたというわけです。

【初級編3】〝配色〟を〝拝借〟！
――モンドリアンの三原色をポップアートに展開したリキテンスタイン

ロイ・リキテンスタイン（1923―1997）といえば、前述のアンディ・ウォーホルらとともに**ポップアートを創始**し、**アメリカンコミックをモチーフとした作品で一世を風靡**したアメリカの画家です。

次ページの右側、コミックの一場面を拡大したような作品は1960年代初めに登場しますが、これは自分の息子に漫画を描いてあげたことが制作のきっかけとなったといわれています。

発想の源になっているのは大衆的なアメリカンコミックですが、色使いに注目して

モンドリアン『黄・赤・青と黒のコンポジション』（1921年）

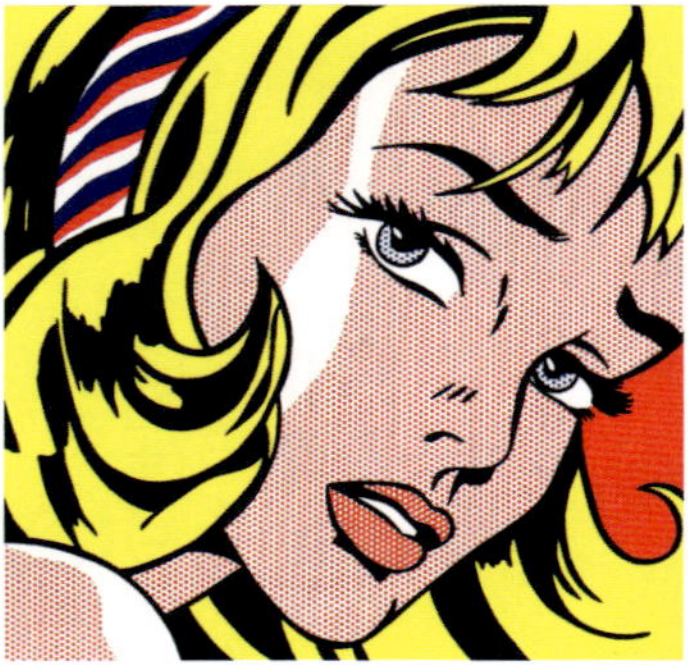

リキテンスタイン『ヘア・リボンの少女』（1965年、東京都現代美術館蔵）

ください。**赤・青・黄の三原色**と**白・黒**に限定されています。

もうおわかりでしょう。これは、前述のモネやセザンヌから影響を受けた**ピエト・モンドリアンの『黄・赤・青と黒のコンポジション』を引き継いだもの**です。

片やアメリカンコミック、片や抽象画と全く異なる絵画ですが、2つの作品を並べてみるとその共通点がよくわかると思います。

色だけでなく、**どちらも平面的**であるところも類似していますね。

アートへと進化したリキテンスタインのアメリカンコミックには、実は先人から継承したスタイルが宿っているのです。

【中級編1】ポップな花は死の香り

――〝ヴァニタス〟の世界をポップアートで表現しようとしたウォーホル

著名なスターや商品をモチーフとしたアンディ・ウォーホルの作品は誰もが一度は目にしたことがあると思いますが、あなたはどのような印象を持っていますか？

ポップで、明るく、楽しげで、親しみやすい……。多くの人がそのように感じているのではないかと思います。作品にアメリカの大量消費社会といったテーマを取り込んでいるので、そう見えるのもうなずけます。

しかし、一方で彼は「死」に対する関心が高く、**飛行機事故や自動車事故、災害、電気椅子など死を題材とした「死と惨禍」シリーズ**も制作しました。

シルクスクリーンの技法を用いて大量に制作されたマリリン・モンローの作品も、彼女の謎の死に触発されたことがきっかけとなっています。

では、左ページ上のウォーホルの『Flowers』はどうでしょうか。

いかにもウォーホルらしい、カラフルな色使いでインパクトのある作品ですが、実は、ここにも「死」が描かれており、西洋美術の**「ヴァニタス」**に通じるものがあります。

ラテン語で**「空虚」**を意味するヴァニタスは**死を表現する寓意的な静物画**のジャンルのひとつで、16世紀~17世紀にオランダで多く描かれました。

モチーフとしては、**頭蓋骨や果物、花、虫**などがありますが、たとえば**ヤン・ブリューゲル**（1568―1625）の『Bouquet in a Clay Vase』（左ページ下）も「ヴァニタス」が描かれています。彼は、花瓶の中で咲き誇る花だけでなく、枯れ始めている花も、朽ちて花瓶の外に落ちた花も、すべて描くことでいずれ朽ち果てる命、すなわち「死」や「はかないもの」を表現しようとしたのです。

このような流れを理解すると、ウォーホルが描いた『Flowers』もまた、**ヴァニタスの流れを汲む、死の隠喩**だと解釈できる理由がおわかりいただけるでしょう。

上：ウォーホル『Flowers』
下：ブリューゲル『Bouquet in a Clay Vase』(1599年)

【中級編2】 足に驚きの仕掛けあり！

―エジプトとギリシアの古代美術にオマージュを捧げたオピー

さて、次に現代アートの作品もご紹介しましょう。イギリスの現代美術家**ジュリアン・オピー**（1958―）は、シンプルな描線を使った独創的な人物の作品で知られ、日本にも数多くのコレクターがいます。

彼の作品は、東京・汐留の電通本社ロビーにある『歩く人』の映像作品をはじめ、世界の様々な場所で目にすることができます。オピー作品では世界最大級のコレクターであり、GMOインターネットグループの代表を務める熊谷正寿氏は、2015年に東京・渋谷のオフィスに飾るオピー作品を一般公開し、アートファンを魅了しました。

では、このモダンな作品の源泉となっているものは何でしょうか。

それは、古代までさかのぼり、たどり着くのは**エジプト美術とギリシア彫刻**です。

注目したいのは足で、エジプト美術で描かれる人物の特徴は立像・座像ともに足がそろっているか、開いていても両足にかかる体重は**均等**です。これは、古代エジプトの君主、ファラオの絶対的な権力を誇示するため、どっしりと表現することで威厳を持たせたのです。

これが、ギリシア時代になると、どちらか一方の足に重心をかけ、**膝を軽く曲げて一歩前に歩き出す**ような形になります。この形は「**コントラポスト**」と呼ばれ、彫刻に**躍動感や美しさ**が生まれました。

コントラポストには主に2種類あり、後ろ足に重心がかかるものと、前足に重心がかかるものがあります。前者で最も有名な作品は『ミロのヴィーナス』。後者で最も有名な作品が『サモトラケのニケ』（103ページ右下）です。103ページ右上に掲載したオピーの『Tina.2.』は、前足に重心が掛かっているので、タイプとしては『サモトラケのニケ』になるでしょう。

ジュリアン・オピーの作品は、歩くという動きをしながらも体重が両足均等にかかっていたり、また膝を曲げたコントラポストの形になっています。つまり、**エジプ**

ト美術とギリシア彫刻から美のエッセンスを抽出し、作品に取り入れたのです。

オピーは、歩く人を題材にする理由について、次のように話しています。「街で人を見ていたとき、自然と止まっている人ではなく歩いている人に目がいくことに気付きました。そこから、人間の最も自然な姿は歩いている姿なのではないかと考えたのです」。

よくよく考えればラスコー洞窟の壁画も、古代エジプトも、ギリシャ・ローマ時代も、生き生きと人間の姿を描いていますが、その「生き生き」とは、歩いている姿を見てそう感じるのかもしれません。

ジュリアン・オピーは、そのごく当たり前と思われる人間の姿をアイコンとして制作しているということです。

21世紀の最先端のアートが、はるか古代からの影響を受けていると知ると、ますます興味がわいてきますね。

左上：オピー『Bobby.2.』(2016年)、右上：オピー『Tina.2.』(2016年)
Bobby. 2. 2016 paint on metal 110×59×3.5cm ／ Tina. 2. 2016 paint on metal 110×59.5×3.5cm
©Julian Opie / courtesy of MAHO KUBOTA GALLERY
左下：エジプト美術　王家の谷にある「ラムセス1世の壁画」
右下：ギリシア彫刻『サモトラケのニケ』(2世紀)

【上級編1】踊り子の謎を解く

エジプト『書記座像』を彷彿させるドガの踊り子

偉大な芸術作品に、過去の名作の影響を読みとる試みもいよいよ最後。そこで、上級編として少しレベルを上げて「影像作品」を取り上げましょう。

紹介したいのはフランスの印象派の画家、**エドガー・ドガ**（1834―1917）の作品『**14歳の小さな踊り子**』（106ページ）です。

この作品は、1881年にパリの印象派展に展示されたのが最初ですが、その時はろうで制作されており、あまりにも写実的な描写が物議を醸したといわれています。

現在、欧米のいくつかの美術館にこの作品のブロンズ版が収蔵されており、いずれもチュチュと髪の毛を束ねるリボンは、本物を身につけています。

ではここからは、アート・ディーラー向けともいえる、少し難度の高い話を。

世界的な画廊「ウィルデンスタイン」の創業者であるナタン・ウィルデンスタイン

は、アートの世界で生きるために欠かせない2つのことを家訓として残しました。ひとつは「**フランスを愛すること**」、もうひとつは「**ルーヴル美術館に行くこと**」です。

3代目ダニエルは、その教えに従ってルーヴルに通い、特にナタンがルーヴルの至宝と称えた**古代エジプト美術『書記座像』**（107ページ）を熱心に鑑賞しました。

そして、ダニエルがオルセー美術館で『14歳の小さな踊り子』を目にしたとき、ひとつの確信を得ました。

「**作者のドガは、ルーヴルで『書記座像』を飽きるほど眺めたに違いない！**」

では、ドガは『書記座像』から、どんなインスピレーションを受けたのでしょう？


ちょっと意地悪ですが、ここでタネ明かしをするのは控えておきます。

現在も、『14歳の小さな踊り子』はオルセー美術館に、『書記座像』はルーヴル美術館に、それぞれ収蔵されていますので、みなさんにはぜひ、フランスで両方の本物を実際にご覧になり、この答えを探っていただきたいと思います。

もし、あなたが少しでも『14歳の小さな踊り子』から『書記座像』の影響を読みとることができたなら、間違いなく大画商の目を持っているといってよいでしょう。

ドガ『14歳の小さな踊り子』(1880年)

古代エジプト美術の『書記座像』(紀元前2600―前2350年)

Column 2

プロもしびれる!? マニアでなければできない、こんなおしゃれな飾り方！

私は職業柄、場所を問わず、アートがどのように飾られているのかつい気になって見てしまうのですが、時折、コレクターの卓越したセンスに感心することがあります。そのひとつが、アメリカ、フィラデルフィアにある「バーンズ・コレクション」。左ページのイラストはその展示室のイメージです。

この美術館の作品をコレクションしていたアルバート・C・バーンズは労働階級の家庭に生まれ、医師になり医薬品の開発で財を成しました。現在はバーンズの邸宅を改装して美術館にしており、時折日本でもコレクション展が開催されるほど人気の美術館です。

よくコレクターという言葉を耳にしますが、欧米ではただたくさん作品を持っている人を、真のコレクターとは呼びません。バーンズのコレクションはルノワール（181点）、セザンヌ（69点）、マティス（59

アメリカ・フィラデルフィア「バーンズ・コレクション」の展示室のイメージ。モディリアーニ、ピカソの作品と、アフリカン・プリミティヴ・アートがセンスよく並ぶ

点）、ピカソ（46点）など圧巻の収蔵数を誇りますが、彼のように、一人ひとりの作家を時代に分けてコレクションし、研究する人が真のコレクターと呼ばれます。

バーンズ・コレクションは約2500点もの美術品を収蔵し、推定評価額は、なんと2兆5000億円ともいわれています。このような大コレクターが作品をどのように展示し、自宅で楽しんでいたのかを探り、学ぶのも、こうした美術館の楽しみ方のひとつです。

たとえば前述の通り、ピカソやモディリアーニはアフリカン・アートに影響を受けているのですが、それはフランスがギニアやマリ、ニジェール、コートジボワールといった、アフリカの様々な国を植民地としていたからでした。たとえばコンゴのマスクを見ればピカソの発想の源を見つけることができますし、コートジボワールやマリやドゴンのマスクを見るとモディリアーニを見つけることができます。

バーンズは研究してそのことを知っていたからこそ、これらの作品を関連づけて展示したわけです。まさに、ため息が出てしまうようなセンスのよさです。

そしてもう一点、現代アートをハイセンスにディスプレイしているカフェ・バーが都内にあります。青山にあるコスチュームナショナル「WALL」というお店で、wall＝壁という名の通り、店内の壁にこだわった空間づくりをしています。

店内に入ると、まずバーカウンター正面の「**バーティカル・ガーデン**（垂直庭園）」に驚かされるでしょう。これは、同店のオーナーが金沢21世紀美術館を訪れたときに、フランス人美術家で植物学者でもある**パトリック・ブラン**の『**緑の橋**』に感銘を受け、当人に制作を依頼したものだそうです。

この美しい緑の壁の対面には、杉本博司の『**数理モデル**』シリーズの大きな作品が

上：「WALL」の店内、ブランの『バーティカル・ガーデン』と杉本博司の『数理モデル』がカウンターをはさんで向き合うように展示された店内／右下：トイレの洗面スペースにさりげなくかけられた、荒木経惟の「花」と「SM」シリーズのポラロイド／左下2点：右下のポラロイド作品の拡大。トイレは2つあり、それぞれ別の作品がかけられている
（写真提供：CoSTUME NATIONAL｜WALL）

さりげなく掛けられています。一見しただけでも店内の雰囲気と作品との調和が取れ、バーティカル・ガーデンが際立っています。しかし杉本といえば『海景』シリーズか『劇場』シリーズが代表作です。どちらもきっと、この空間にも似合うでしょう。ではなぜ、オーナーはあえて数理モデルを選んだのでしょうか？

私の答えはこうです。

時間の変化を計測できる数理モデルと、計測不可能な植物を対比させたと。そう考えると圧巻の展示ですよね。

読者の中には、それほど深く考えていないのではないか、と思われる方もいらっしゃるかもしれません。しかし私は、あながち間違っていないと確信しています。

それは、このお店のレストルームを見ればその答えがわかります。

アートファンであれば一目瞭然。なんとアラーキーこと荒木《あらき》経惟《のぶよし》の、「花」のポラロイド作品と女性が縄で縛られた「ＳＭ」シリーズが、全面鏡の中心に飾られているのです。

脱ぐ場所に、この作品とこの演出というユーモアあるセンス。もう、しびれました！

一見の価値はありますので、機会があれば、ぜひみなさんもご覧になってください。

第3章

なぜ今、注目されているのか？「心ときめく現代アート」

この作品を見逃すな！
押さえておきたい10人の現代アート作家

ゴッホやフェルメールの絵画には感動できるけれど、奇抜で意味不明な現代アートは難しすぎて、近寄りがたいと感じている人は少なくないと思います。

その高いハードルを下げるには、**作品が生まれた背景**や**作家の思い**を知ることが、最も有効な方法です。そこでここでは、みなさんが**現代アートの世界に一歩足を踏み入れ、奥深さや面白さを味わえるようになるための手引き**をしたいと思います。

“キャンディ”に込められた命の重み
――フェリックス・ゴンザレス＝トレス

最初にご紹介するのは、左ページ写真のキャンディのアートです。

ゴンザレス=トレス『Untitled（Placebo）』（1991年）
Felix Gonzalez-Torres "Untitled" (Placebo), 1991
Candies individually wrapped in silver cellophane, endless supply
Overall dimensions vary with installation
Ideal weight: 1,000 - 1,200 lbs
© The Felix Gonzalez-Torres Foundation
Courtesy of Andrea Rosen Gallery, New York

「キャンディがなぜアートに？」と戸惑うのはごもっとも。さらに観客はここからキャンディを持ち帰ってよいことになっています。

まさに、味わうことができる作品というわけですが、これまでのただ〝見る〟だけのアートに慣れているみなさんからすると、少し戸惑うかもしれませんね。

作者は、キューバに生まれたアメリカ人のアーティスト、**フェリックス・ゴンザレス=トレス**（１９５７―１９９６）で、１９９６年にエイズの合併症により他界しました。

彼は電球や時計、紙片といった身

の回りのものを使い、「動かせるもの」または「変化するもの」「発展するもの」を注視して、インスタレーション（展示空間を含めた全体を作品と見なし、観客がその場で体験できる芸術作品）の作品を数多く制作しています。

これは変貌する社会や消費文化などを表現したものですが、なかには自身のエイズ（HIV感染症）の経験を投影させた作品もあります。

彼は最も大切な存在だったパートナーを、エイズの発症により亡くした経験を持っています。そのため、彼の作品からは「愛」や「希望」や「死」といった、一見ごく当たり前で忘れられがちな大事な感情を、観客の心に響かせる力を持っているのです。

このキャンデイ作品もそのひとつで、観客が自由にキャンディを持ち去ることで作品は徐々に変化していきます。キャンディそのものも、口に入れることで、やがて消えていく。すなわち、徐々にエイズに蝕《むしば》まれ、死に向かっていく過程を比喩しているともいえるのです。

さらに、重要なことは、観客がキャンディを持ち帰るかどうかの選択は、観客の判断に委ねられていることです。キャンディを持ち去った観客は死へ向かうカウントダウンを刻む死神の役を担っているのかもしれません。

まさに、意味がわかると面白くなるアートの代表的な作品です。

写真をアートの領域へ引き上げた立役者
――ベルント・ベッヒャー／ヒラ・ベッヒャー&アンドレアス・グルスキー

次ページの給水塔の写真を並べた作品をご覧ください。

写真の大きな役割は記録と報道ですが、これは単なる記録写真でも報道写真でもありません。かといって、給水塔の造形的な美しさを表現したかった、というものでもありません。言うなれば、**写真を使用したアート**です。

この作品を制作したのは、ドイツの**ベルント・ベッヒャー**（1931―2007）とその妻**ヒラ**です。

彼らは1950年代末からドイツをはじめヨーロッパ各国で、給水塔や溶鉱炉、精製工場など近代産業によって造られた戦前の建造物を撮り続けました。そして、それらの写真を**類似した被写体別に分類し、ひとつの画面の中に並べ**ていきました。ベッ

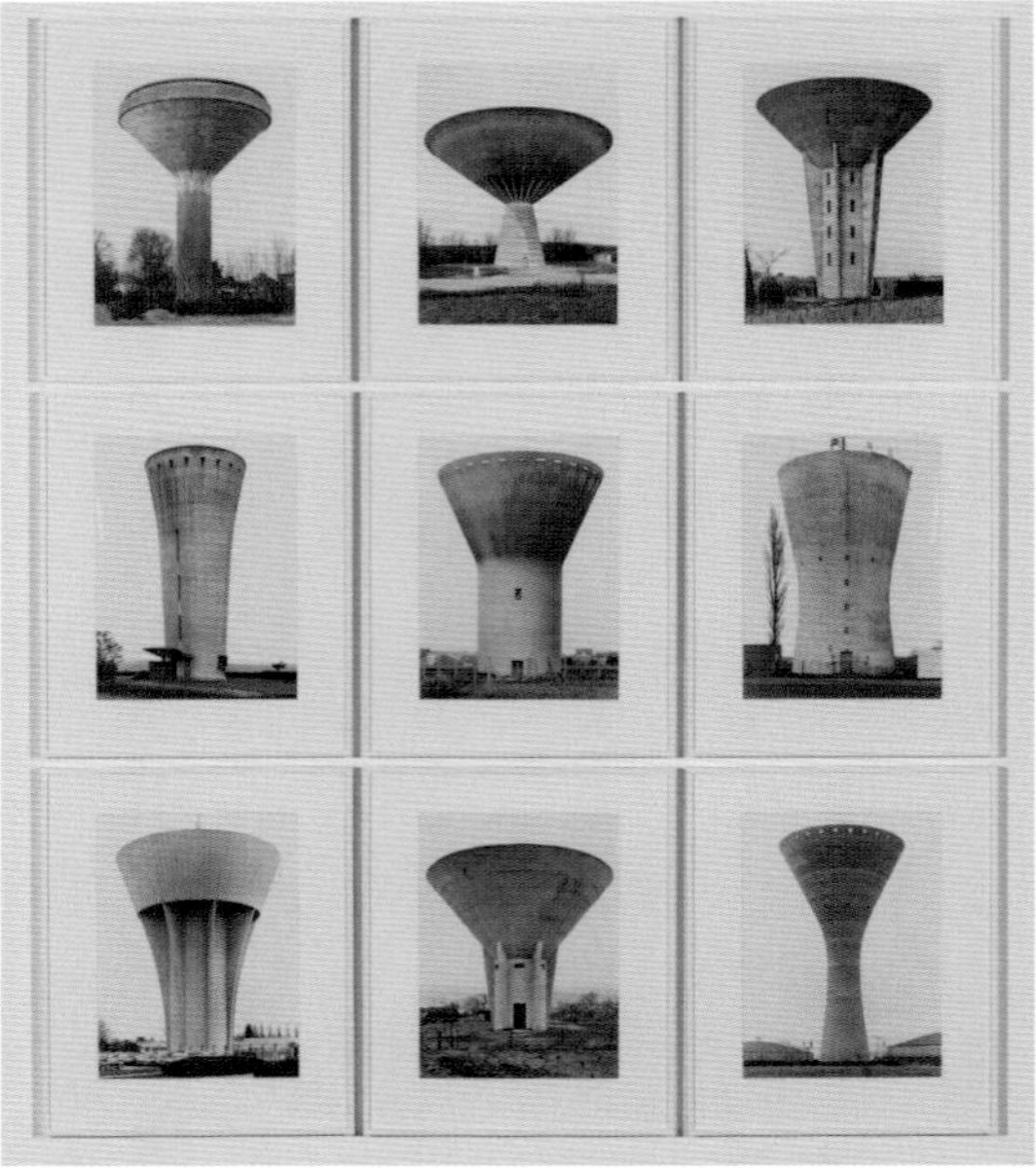

ベルント・ベッヒャー／ヒラ・ベッヒャー「給水塔」のタイポロジー作品（1927-2009年）
Bernd Becher and Hilla Becher, from Group of 6 Typologies, Water Towers, 1972-2009. © Tate, London 2017.

ヒャー夫妻のこの手法は「**タイポロジー（類型学）**」と呼ばれ、その作品はコンセプトを持ったアートとして評価されるようになったのです。

写真をアートの領域に導いたベッヒャー夫妻は、デュッセルドルフ美術アカデミーで教師として指導にもあたり、国際的な作家を数多く輩出しました。

そのひとりが、**アンド**

レアス・グルスキー（1955―）です。恩師の影響を受けた彼は、撮った写真を自分で分類するのではなく、99セントショップ（日本の100円均一ショップのような店）の棚に、商品が種類別にずらりと並んでいるところを被写体とした作品を制作しました。

グルスキーは明確な理由のもとに並べられた陳列棚に、システムや人間行動学の中にある「何気ない美」を見出しました。**「タイポロジー」は日常にあふれているという「気づき」を得て、それを作品に表現**したのです。私たちはこの作品を見ることで、あらためて、現代社会のシステムそのものを考えるきっかけを、与えられているのかもしれません。

現在、アンドレアス・グルスキーの作品は、写真を使った現代アートの中で、最も高額な値段で売買されています。

「自由の女神」に託した自身のアイデンティティ　――ヤン・ヴォー

時として、アートには作家自身の生い立ちやアイデンティティが投影されることがあります。それを意識的に行なっているのが、個人史と歴史を併置するコンセプチュアルな作品づくりをしているベトナム生まれの**ヤン・ヴォー**（1975―）です。

彼の代表作『**我ら人民は**』（左ページ）もまた、これだけを見てもなんだか理解できませんよね。一体どのような意味を持っているのでしょうか。

まずこの作品は30トンの銅製シートを2ペンスの薄さにのばし、実物サイズの「自由の女神」を型取り、それを300パーツに解体して世界中に拡散しました。

この一つひとつの作品が、実寸大の「自由の女神像」のどこかの部分だということです。

左の作品の基となっている、ニューヨークの「自由の女神像」

アメリカ・ニューヨークにある「自由の女神像」といえば、アメリカ合衆国の独立100年を祝って、革命によって自由を勝ち取ったフランスから、友好の証しとして贈られた、まさに、〝自由の象徴〟です。

ヤン・ヴォー『我ら人民は』(2011-2013年)
Danh Vo
We The People (Detail), 2011-2013
Copper
Installation view of "JULY, IV, MDCCLXXVI" at Fridericianum, Kassel, 2011,
photo by Nils Klinger
ⓒ Danh Vo, courtesy of Take Ninagawa, Tokyo

ヤン・ヴォーは、幼少時にボートピープルとしてベトナムから脱出し、デンマークに移住した後に、コペンハーゲンの王立美術学校とフランクフルトのシュテーデル美術学校で学んだという異色の経歴の持ち主で、祖国では自由とは無縁の環境で生きてきました。みなさんもご存じのように、ベトナムは様々な国に侵略されてきた歴史を持つ国です。だからこそ、自由への憧憬が人一倍強いのでしょう。

自由の女神のパーツは、ベトナムから離れていった同胞であり、それぞれが再び集まったときにこそ、大きな自由を手にできる——。そんなメッセージが込められているのかもしれません。

私たち日本人が、当たり前のように考えている自由とは、いかに尊いものであるか、そして国家が平和でなければ成り立たないものであるということを、改めて考えさせてくれる作品なのです。

逆転の発想で「時間」と「変化」を表現したパイオニア
杉本博司&アレクサンダー・カルダー

前出のベッヒャー夫妻とは異なるコンセプトで、写真をアートの表現手段として使用しているのが**杉本博司**《すぎもとひろし》（1948—）です。写真は基本的に「瞬間」を切り取るものですが、杉本は写真に「**時の流れ**」を織り込んだ作品を生み出しました。

その最も象徴的な作品が『劇場』シリーズです。

これは、映画館で映画を上映している間中シャッターを開け続け、映画1本分を撮影して1枚の写真に収めた作品です。長時間露光することでスクリーン部分は白く発光しており、それだけでも独特の美しさを放っているのですが、そこにはフィクションであれドキュメンタリーであれ、目には見えなくても**映画1本分の物語=人生が写りこんでいる**、という面白さがあります。

そのため、私たちが観客としてこの『劇場』と向き合うと、**時間を超越した不思議な異次元世界**を感じることになるのです。

カルダー『Crinkly avec disc Rouge』(1973年)

写真における時間の経過のように、「できるはずのない表現」を創出させたという意味では、アメリカの彫刻家、**アレクサンダー・カルダー**(1898―1976)もそのひとりです。

彼は、動くはずのない彫刻に「動き」を取り入れたモビール作品『Crinkly avec disc Rouge』(上)を制作しました。

当時、彫刻といえば『考える人』で有名なロダン(オーギュスト・ロダン:1840―1917)のブロンズ像のような彫刻が主流でした。それに対してカルダーは、動く要素を取り入れることで、「時間」と「変化」を表現することに成功しました。これにより、彫刻の可能性は一気に広がったのです。

陶土に込めた「現代社会の危機」——三島喜美代

新聞、雑誌、段ボール、缶……。日常生活で大量に消費されるこれらのモノを表現のモチーフとして扱っているのが**三島喜美代**《みしまきみよ》（1932—）です。

1950年代後半から、画家として不定形絵画とコラージュによる絵画作品を制作していた三島は、1970年初め頃になるとアートの表現手段を陶芸に求め、印刷物の活字や商標をシルクスクリーンで転写する立体作品を制作し始めました。

127ページの上のような巨大なゴミ箱の作品をはじめ、国内外で高い評価を受けている代表的な作品は、**世の中に氾濫する情報やゴミを再現**したものです。

日本の高度経済成長期以降、**押し寄せてくる情報化社会やゴミ問題に危機感を覚え、資本主義の影の部分**を見つめたことが、彼女の制作の始まりでした。

そして、現代社会において必要不可欠でありながら、すぐにゴミと化してしまう新聞紙や缶などに着目。印刷された活字や商標のイメージを、あえて「われもの」である陶器に投影することで、**現代社会の危うさを表現**したのです。

香川県直島《なおしま》にある『ゴミ箱』の作品には、元となる粘土に廃土を使い、さらに産業廃棄物を1300℃以上の高温で溶かし、無毒化したガラス状の塊、「溶融スラグ」を砕いて混ぜた作品もあり、まさに**ゴミから再びゴミをつくりだすという、遊び心のあるギミック**（仕掛け）も取り入れています。

これらの作品は、随所に〝嘘の仕掛け〟が見られるところも大きな魅力です。実物よりも大きな空き缶や、それらしく朽ち果てたような段ボールなど、見た目を誇張しながらも、自然に見せかけている作品は、ある意味では実際のゴミよりもリアルに、圧倒的な存在感をもって訴えかけてきます。

私たちは普段、生活の中でゴミを眺めることはあまりないと思いますが、三島によるゴミの作品を目にすれば、誰もがその作品に目を奪われ、見入ることになるはずです。その時、私たちは自分にとっての「モノの価値」とは何か？　を問いただされているのです。

三島の代表作ともいえる巨大な「ゴミ箱」の作品『Work2012』

三島がリキテンスタインに送ったものと同じ図柄の作品『Box Postbox-16』（2016年）

ところで、三島作品には、海外の名だたる現代アート作家たちの中にも、熱狂的なファンがいることも見逃せません。

たとえばポップアートの巨匠、ロイ・リキテンスタインもその一人。彼女がリキテンスタインに作品（前ページ下）を送ったところ、後日「段ボールを開いたら、中から段ボールが出てきて驚いたよ」という手紙が届いたそうです。

リキテンスタインのユーモアが感じられる、楽しいエピソードですね。

「スーパーフラット」で、「ポストジャポニスム」を宣言──村上隆

2008年、ニューヨーク、オークションハウスのサザビーズにて村上隆《むらかみたかし》（1962─）の作品『My Lonesome Cowboy』が約16億円で落札され、大きな話題となりました。

今や村上は、日本を代表する現代美術作家であり、世界の最前線で活躍しているわけですが、なぜ、彼の作品はこれほど評価されているのでしょうか。

ひと言で言えば、**日本文化を的確に海外に向けて発信した**ということです。

繰り返しになりますが、西洋美術の歴史においては、**画面の中にいかにして三次元を描くか**ということに主眼が置かれていました。

一方、日本の伝統的な絵画といえば、**浮世絵に代表されるような二次元的なもの**が主となります。西洋美術のような遠近法を用いない、平面的で独特な日本画という土台があったからこそ、今のアニメーションや漫画が生まれてきたのではないかと村上は分析しています。

そこから村上は、**浮世絵をはじめとする伝統的な日本画と、現代のアニメや漫画の二次元的な世界を結びつけ**、新たな平面表現である「**スーパーフラット**」という概念を提唱しました。すなわち、19世紀のヨーロッパ美術に多大な影響を与えたジャポニスムになぞらえて「現代版ポストジャポニスム」を標榜し、それが受け入れられたのです。

この概念を用いて、村上は**これまで大衆文化のひとつであったアニメや漫画を現代美術の文脈に導入し、アートの領域へと高めて**いきました。

現在、日本を代表する世界的なアーティストとなった村上隆は、ファッションブランド「ルイ・ヴィトン」とのコラボレーションや、ヴェルサイユ宮殿での作品展など、意欲的に活動の幅を広げています。

ニュートンの発見をアートに翻訳――名和晃平

名和《なわ》晃平《こうへい》（１９７５―）の作品『DIRECTION（ダイレクション）』（左ページ上）は、線だけが描かれた作品です。これを初めて見た人は、どう解釈してよいのやら途方に暮れるのではないでしょうか。

この作品を理解するには、「ニュートンのリンゴ」がキーワードになります。

名和といえば、「PixCell」＝Pixel（画素）＋Cell（細胞・器）という独自の概念を軸とした作品で知られる、新世代の現代アート作家です。なかでも、鹿の剥製を透明なガラスビーズでびっしりと覆った作品『PixCell-Deer#24』は、日本人現代アート作

名和晃平 Kohei Nawa
『Direction#161』(2016年)
h.200 x w. 200 x d.6 cm
paint on canvas
撮影：表恒匡｜SANDWICH

家としては初めて、ニューヨークのメトロポリタン美術館の収蔵品になりました。

一方の『DIRECTION』は、見る者に知的な刺激を与える作品ですが、注目したいのは、その独特な制作方法です。


まず、キャンバスの織り目の影響を避けるため、キャンバスを斜めに傾け壁に貼り、チューブ状の容器に入れた特製の絵の具をキャンバスの上辺から垂らします。あとは、**引力に従って絵の具が下へ下へと垂れていくのを待つ**だけ。

すなわち、この作品に込めた意味とは、**「目に見えない引力を可視化」**させたと**いうこと**。名和は**ニュートンの発見を**

アートへと翻訳したのです。

しかも、地球の中心に向かう引力は自転による遠心力との合力によって、わずかに曲がるので、この『DIRECTION』は**自然の力による、地球上もっとも無理のない曲線が描かれている**ともいえるのです。じつにスケールの大きな話です。

日本の現代アートシーンを牽引するアーティストとして、名和は今後も目が離せない存在といえるでしょう。

消失の危機にある美術品の〝レッドリスト〟――今津景

最後に、今、国内外で評価が高まりつつある日本の若手アーティスト、今津《いまづ》景《けい》（1980―）の作品を紹介しましょう。

彼女の代表作は『Red List（レッドリスト）』と題された、2015年の作品（左ページ）です。

大胆なタッチに圧倒される油彩画ですが、よく見ると荒々しい描線の下に何かが描

今津景 Kei Imazu
『Red List』(2015年)キャンバスに油彩
H194×W260cm unique
photo by 木奥恵三
Courtesy of YAMAMOTO GENDAI

かれているのがわかると思います。

実は、この絵画にはあるメッセージが隠されています。

それは一体、何か――。


今津作品のモチーフとなっているのは、**戦争や紛争、テロ行為など様々な理由で破壊されたり略奪されてしまった美術品や、消失してしまいそうな美術品**です。

彼女は、このような「人の愚かな行為によって失われた貴重な文化財」の画像をインターネット上から収集し、パソコン上で組み合わせます。

次に、その下絵を基に、絵画としてキャンバスに再構成した後、さらに自らの手で破壊する――。

つまり、一連の創作活動の過程で、**創造**、**破壊**、**再生**を行なっているのです。

「レッドリスト」とは、本来、絶滅の危機に瀕している世界の野生動物のリストのことを指しますが、この作品『レッドリスト』も、現在、破壊や略奪の危機にあるシリアの文化財リスト（レッドリスト）からイメージを抽出しているという点で、〝存続の危機に瀕している〃という共通点があります。

振り返ってみると人類の歴史とは、古代から現代まで常にこの創造、破壊、再生を繰り返して国家や社会がつくられてきました。

今津景はこの循環における思想の根底に、最も大事なものとは一体何か、という問いを、見る者に投げかけているのだと思います。

古今東西、才能あふれる作家・作品の こんな味わい方もある！

アートの見方として、ここまでご紹介してきたように、その美術作品が生まれた時代背景や社会情勢、作品に込められた意味や表現のアイデアなどを知り、その知識をベースとして作品を読み解いていくという方法があります。

一方で、私は「自由な視点でアートを楽しむ」ことも大切だと思っています。まずは、気楽に作品と向き合って「これはあの絵に似てるな」とか「この作品からこんなイメージが浮かんでくるな」とか、その解釈が正しいかどうかは抜きにして、自分が感じるままにイマジネーションを広げてみてください。また違ったアートの味わい方ができると思います。

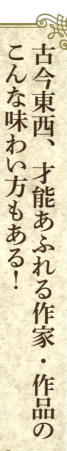

円山応挙『藤花図屏風』（右隻）（1776年）（根津美術館蔵）

画家になりきって「エア模写」してみる
――円山応挙

では、ここからは私独自の視点で作品をご紹介していきましょう。

江戸時代中期〜後期に活躍した円山応挙《まるやまおうきょ》（1733―1795）は「写生」を重視した画風が特徴で、東京・港区の根津美術館に収蔵されている『藤花図《ふじはなず》屏風《びょうぶ》』にもそれがよく表れています。

これは、応挙が44歳のときの作品ですが、すでに円熟の境地に達していますね。

とくに、右隻（上）の左側に描かれている細い蔓《つる》。精神を統一した状態で筆に墨をつけ、巧みな刷毛さばきで一気呵成《いっきかせい》に仕上げているのがわかります。

このなめらかな曲線を出すために、応挙はおそらく、描ききる間、息を止めていたのではないかと思います。

実は私、この『藤花図』を見ながら、**応挙になったつもりでこの蔓を頭の中で描いてみた**ことがあります。

一見、なんでもない蔓のようですが、描ききるにはかなりの集中力を要します。さらに私が驚いたのは、この曲線をなぞるのに、私自身の**息が続かなかった**ことです。応挙は、とてつもない集中力と緊張感を持ちながら描いたに違いありません。

ただ見るだけでなく、場合によってはこのような「エア模写」もおすすめです。**たった1本の線のすごさを、身をもって知ることができる**のです。

絵画のタッチや色合い、テーマに共通性を探る
——モネ&ジョアン・ミッチェル&ゲルハルト・リヒター&ホセ・パルラ

次に、印象派のモネが最晩年に描いた『睡蓮《すいれん》』（140―141ページ上）を軸に、**作品の共通性を見出す**という楽しみ方をご紹介したいと思います。

モネは晩年、白内障により視力の低下に苦しみましたが、それゆえにか、最晩年の『睡蓮』はそれまでの作品と比べて、タッチも荒く、色調も強く、抽象画に近いものになっています。

一般的には初期の睡蓮と比べると駄作と思われがちな作品ですが、しかし、内面をも映し出したような力強い画風は、人を惹きつける不思議な引力があります。

実際、この最晩年の睡蓮から多大な影響を受けた抽象表現の作家たちも数多くいます。なかでも、私がこの『睡蓮』と共通性を感じる作品といえば、アメリカの女流画家、**ジョアン・ミッチェル**（1925―1992）の抽象画です。並べてみると、私にはタッチや色使いなど『睡蓮』と通じるものを感じるのです。

ジョアン・ミッチェルは、シカゴのミシガン湖の近くで幼少期を過ごしました。自宅の窓辺からは湖が眺められ、彼女はよく湖を見入っていたといいます。穏やかな日の湖面に映る流れゆく雲、きらきらと輝く光彩、あるいはどんよりと沈黙する湖の色……この、折々に移ろいゆく湖面の表情に魅せられていったのです。

ミッチェルは30代半ばになると、創作の拠点をニューヨークからパリに移します。

そして40代には、モネのジヴェルニーの庭園にほど近いヴェトゥイユに居を構えました。彼女は、モネのゆかりの地でもあるヴェトゥイユの同じ空の下で、作品を描いたのです。おそらくジヴェルニーのモネの庭園にも訪れていることでしょう。

さて次はドイツの画家、**ゲルハルト・リヒター**（1932—）の作品（左ページ）を見ながら、モネとの共通性を探りたいと思います。

私が両者にシンパシーを感じたのは、2015年のことです。

この年の秋、東京・六本木にあるワコウ・ワークス・オブ・アートで「ゲルハルト・リヒター展」が開催され、同時期に東京・上野の東

上：モネ『睡蓮』（1919年）
下：ゲルハルト・リヒター『Bach（バッハ）（1）』（1992年）© Gerhard Richter 2017（0260）

京都美術館にて「モネ展」が行なわれていたので、私はこの2つの展覧会を行き来しました。

そうしたところ、**ゲルハルト・リヒターの作品の中に水面のきらめきを感じ、モネの『睡蓮』と重なって見えた**のです。

私は感激のあまり、思い切ってギャラリーのオーナーにこのことをたずねてみました。すると「それは間違っていないと思いますよ」との返事が返ってくるではありませんか⁉

というのも、リヒターの作品には『バッハ』という題名の作品があるというのです。その作品は、バロック音楽の巨匠、ヨハン・セバスティアン・バッハに敬意を表して制作された作品ですが、同時にバッハとはドイツ語で「小川」の意味でもあるそうです。つまり、リヒターはその**作品に水の流れや水面の煌《きらめ》きのような表情を求めていた**というのです。

これは私にとって、胸が高鳴るような素敵な発見でした。

そしてもう一人、キューバから亡命した両親を持つ、アメリカ出身の**ホセ・パルラ**

ホセ・パルラ『Small Golden Suns』（2016年） Jose Parla,Small Golden Suns, 2016, Artists Rights Society, NY
Courtesy of Yuka Tsuruno Gallery

（１９７３―）の作品（上）にも、モネとの共通性を見ることができます。

彼は、もともと壁にスプレーで文字などを描く「**グラフィティ・アート**」を得意としていましたが文字のような曲線とブルーの色調が印象的な上の作品も、モネの『睡蓮』を感じさせます。

グラフィティ・アートとは、高架線下の壁や空き店舗のシャッターなどにスプレー缶で落書きをする「ストリート・カルチャー」がアートになったもので、そのルーツはアメリカのストリート・ギャングが縄張りを示す印から始まりました。

これはタグを付けるという意味の「タギング」とも呼ばれ、やがて80年代に入ると**キース・ヘリング**（１９５８―）という作家がニューヨークの地下鉄をスプレー缶で落書きする行為から話題となり、やがてストリート・カルチャーとしてアート界でも認められるようになりました。

ホセ・パルラの作品は、流れるようなタギング独特の書体からドローイングの美しい曲線へと姿を変え、**カリビアン特有の明るい色彩構成により、人の心を前向きにする力を持っています**。そして同時に、**心が静まる穏やかさも備えて**おり、その感覚はモネの『睡蓮』とも共通するのです。

いかがでしょうか？　ジョアン・ミッチェルもゲルハルト・リヒターも、そしてホセ・パルラも、それぞれの作品だけを見ていたときには、おそらく、そのよさはあまりわからなかったかもしれません。しかし、それらとモネの『睡蓮』との間に共通する何かを感じとったとき、それぞれの作品の魅力が胸に迫ってくるような感覚になったのではないでしょうか？

これが、私がおすすめする、**知識にとらわれずにイマジネーションを働かせて心で感じる「自由なアートの鑑賞法」**です。

みなさんもぜひ、トライしてみてください。

視覚や認識に頼らず心で見る

サイ・トゥオンブリー&ヴォイニッチ手稿

突然ですが、みなさんは『**ヴォイニッチ手稿**』というものをご存じでしょうか？

１９１２年にイタリアの修道院でウィルフリッド・ヴォイニッチが見つけたもので、彼の名前にちなみ『ヴォイニッチ手稿』と名づけられた古文書です（１４７ページ上）。

羊皮紙でできている全２３０ページのこの古文書は、単なる古文書ではありません。実はいつの時代のどこの国の言葉かわからない、未知の文字で書かれた文章のほか、彩色された奇妙な挿絵が描かれている謎の古文書なのです。

これまで、様々な学者や研究チームが調査しましたが、それが暗号の一種なのか、あるいは宇宙からのメッセージなのか、いまだに解明されていません。唯一、わかったことは、それが決してデタラメに書かれたものではなく、言語として一定のルールが守られており、何らかの情報が記されたものだということでした。

この誰も読めない『ヴォイニッチ手稿』を思わせるのが、アメリカの画家である**サイ・トゥオンブリー**（1928―2011）の作品（左ページ下）です。

彼の作品で広く知られるのが、アルファベットの筆記体で「e」または「l」のような文字を連ねて描かれた作品です。何か言葉が隠れているのかと目を凝らしても、何もありません。それなら誰でも描けるじゃないか、と思いますよね。まるで子どもの落書きを彷彿とさせますから。

では、サイ・トゥオンブリーは何を描いていたのか。

彼は「ドローイング＝描く」という純粋な行為における〝描く感触〟に着目しました。キャンバスの上でクレヨンを走らせる、そのとき手に伝わる感触を大切にしたのです。

サイ・トゥオンブリーは語っています。「**人は目に頼りすぎている**」と。

私たちは何かを描こうとするとき、どうしてもうまく描こうと考えがちです。しかし**最も大切なのは子供の落書きのように、純粋に描く感覚を楽しむこと**。この作品は、子供が持っていた自由な感覚は、大人になるにつれて制御されてしまうということを伝えているのです。

上：『ヴォイニッチ手稿』(作者、制作年不明)
下：サイ・トゥオンブリー 『Untitled』(1966年)

私たちは奇妙なものを目にすると、必死に読み解こうと考えます。しかし、『ヴォイニッチ手稿』やサイ・トゥオンブリーの作品は、頭でわかる必要はありません。視覚や知識に頼らず、純粋に心で感じようとすれば、そこにある美しさや面白さだけで充分に楽しめるのです。

時代や国を超え、画風がシンクロする奇想の大家

伊藤若冲&ヒエロニムス・ボス

2016年4月、東京都美術館で**伊藤若冲**《いとうじゃくちゅう》（1716―1800）の生誕300年を記念する「若冲展」が開催され、一大ブームを巻き起こしたことは記憶に新しいと思います。若冲が京都・相国寺に寄進した『釈迦三尊像』3幅と『動植綵絵』30幅が一堂に会するとあって、わずか1カ月の会期にもかかわらず入場者数は延べ44万6000人、最大5時間超えの入場待ち時間を記録しました。

多くのファンを魅了した若冲は、江戸時代中期に活躍した「奇想」の絵師。とくに、代表作の**『動植綵絵』**（151ページ上、30幅から3幅を抜粋）は細密な写生と空想を一体

化させた絵画で、不思議な雰囲気を漂わせています。
　151ページの作品は小さいので見にくいかと思いますが、よく見ていただくと『貝甲図《ばいこうず》』（上段左）の貝殻の楕円、『薔薇《ばら》小禽図《しょうきんず》』（同中）のバラの花芯、『棕櫚《しゅろ》雄鶏《ゆうけい》図《ず》』（同右）のシュロの葉の付け根部分に注目すると、これらが次第に「目」に見えてきて、作品から逆にこの不気味な目でジッとこちらを見られているような感覚に陥るのは私だけではないと思います。

　この奇妙な感じは、ネーデルランド（オランダ）で活躍した奇想画の大家、**ヒエロニムス・ボス**（1450頃―1516）に通じるものがあります。ボスの『**快楽の園**』（151ページ下）と若冲の『動植綵絵』は、**緻密で幻想的な作風**がよく似ていると思いませんか？

　ボスは謎の多い作家ですが、キリスト教の友愛団体である「聖母マリア兄弟会」に所属しており、とても熱心な信者で多くの祭壇画を制作しました。

　また、若冲も熱心な仏教信者で知られています。ということは、両者の作品には**宗教的な思想**が込められていることが考えられ、その結果、**時代や国を超えて画風がシ**

ンクロしたのかもしれません。

さらに、想像を広げると、ボスが活躍した16世紀の大航海時代にスペインを統治していた国王フェリペ2世は、ボスの熱狂的なファンだったと伝えられています。

この作品も当時、フェリペ2世が所有していたことがわかっています。

16世紀といえば、日本では織田信長が南蛮貿易を行なっていた時代で、実際に信長とフェリペ2世との間では国力を誇示するかのような宝物の交換がなされていたそうです。さらに秀吉の時代になると、フェリペ2世の特使が日本に来ています。

ということは、もしかすると、どこかのタイミングでボスの作品の版画のようなものが持ちこまれ、もともと裕福な商家の跡取りだった若冲が何らかのタイミングでそれを目にし、インスパイアされた……。

少々、想像が飛躍しすぎでしょうか?

いいえ、そのくらいの想像を楽しむのも、夢があって面白いと思います。

上：伊藤若冲『動植綵絵』（1770年、全30幅）より、『貝甲図』（左）、『薔薇小禽図』（中）、『棕櫚双鶏図』（右）（ともに、宮内庁三の丸尚蔵館蔵）
下：ヒエロニムス・ボス『快楽の園』（1504年）

「狂気」と「執念」を作品にぶつけ、見る者を揺さぶる
――草間彌生&ゴッホ

世界を舞台に活躍する前衛芸術家の**草間彌生**《くさまやよい》（1929―）は1950年代後半に渡米し、ニューヨークを活動の拠点としていた時期があります。

そこで、最初に高評価を受け、ブレイクのきっかけをつくったのが『**インフィニティネット**』でした。これは、巨大なキャンバスにびっしりと際限なく描かれた網目が見る者を圧倒する、途方もない作品です。

左ページ上には、『インフィニティネット』の赤の作品を掲載していますが、草間はこのシリーズを描くとき「これを描かなければならない」という強迫観念が湧き上がり、執念の塊をキャンバスにぶつけたと言います。このシリーズはライフワークのように続けられ、数多くの作品を残しています。その中でも際立ってすごみを感じる彼女の渾身の作が存在します。

見分けるのはなかなか難しいのですが、私は**ゴッホ**の有名な作品『**ひまわり**』（左

草間彌生『No.N2』(1961年)(個人蔵)

ゴッホ『ひまわり』(1889年)

ページ下）の作品の中に、それを見極めるヒントを見つけました。

ゴッホは1888年から南フランスのアルルに住み、芸術家を集めてコミュニティをつくりたいと夢みていました。それに賛同し、アルルで共同生活をすることに応じてくれたのが唯一人、**ゴーギャン**でした。

彼からの嬉しい返事を受け取ったゴッホは有頂天になり、ゴーギャンの泊まる部屋を黄色いひまわりの絵で埋め尽くそうと考えました。

そしてゴッホはゴーギャンを待ち遠しく思いながら、一心不乱に『ひまわり』の制作にのめり込みました。

その熱烈な思いは『ひまわり』に描かれたある一点に見ることができます。

ゴッホは生前、7点の『ひまわり』を制作したといわれていますが、その一点が見られる作品は、東京・新宿区の「東郷青児記念 損保ジャパン日本興亜美術館」に収蔵されています。

みなさんも機会があれば、ぜひその『ひまわり』をご覧になってみてください。

じっくり見ると、中央に描かれた花の種の真ん中に「**赤い点**」があることがわかります。「ある一点」とはこの「赤い点」のことです。通常、ひまわりのこの部分に、「赤い点」は存在しません。

この「赤い点」をじっと見ていると、私は、**すさまじい集中度合いで絵筆をキャンバスに置き、そこからゆっくりと絵筆をねじりながら赤い点を描き出した、ゴッホの狂気**とも呼べる姿が目に浮かんでくるのです。

たとえていうならば、『ひまわり』はゴッホにとって**ゴーギャンへの思いを込めた曼荼羅図**《まんだらず》（注：古代インドから中央アジアに伝わる、宗教画。悟りの世界や仏の教えを図式化している）のようなもの。緻密な筆さばきで細かくひまわりを描いた最後に、大日如来《だいにちにょらい》を中央に描くかのごとく、ど真ん中に「赤い点」を描き入れたのだと思います。

この「赤い点」に、私はゴッホの**強烈な執念**を感じ、心が揺さぶられたのです。

一方、幼少期から幻覚や幻聴に悩まされ、強迫観念に駆られるように絵を描いてきたという草間彌生。『インフィニティネット』は彼女の代表作で、数多く制作されていますが、ゴッホの「赤い点」の狂気にも似た、ある種の「執念」を感じられる『インフィニティネット』であれば、間違いなく渾身の作にほかなりません。

湧きあがってくる「ホロコースト」のイメージ

アニッシュ・カプーア&クリスチャン・ボルタンスキー

私にとって、作家の意図と自分の解釈が符合するかどうかはさて置き、それを見るとどうしてもあるイメージが湧きあがってくる作品がいくつかあります。

そのひとつが、シンプルでありながら現実を超えた精神性にリンクさせ、観客に体験を促す作品を数多く制作している**アニッシュ・カプーア**（１９５４―）の『Svayambh』という作品です。

アニッシュ・カプーアはインド・ムンバイ出身のイギリス人彫刻家で、インド海軍の水路学者である父と、ユダヤ人の母との間に生まれました。

インドからイギリスへ移ってアートを学び、「ニュー・ブリティッシュ・スカルプチャー」と呼ばれる新しいジャンルの彫刻家として注目されるようになり、現在は世界的に活躍しています。

サンスクリット語で「自己生成、自動生成」という意味を持つ『Svayambh』は、ワックスと油絵の具の塊でできています。血液や肉片の塊を彷彿とさせる列車のような巨大な物体を、ただただゆっくりと左へ右へと繰り返し移動させている作品です。

しかし、この作品からは冷酷無比なホロコースト（第二次世界大戦中、ナチス・ドイツがユダヤ人に対して行なった大量虐殺のこと）が連想され、見る者は絶望的な感情を呼び起こします。

第二次世界大戦中、ナチス・ドイツではユダヤ人の捕虜たちを物体として扱い、収容所に送り込まれてくる人々を「何人」ではなく「何トン」と言っていたそうです。ここではもう命の尊厳は完全に否定されていました。カプーアのこの作品からは、そのようなホロコーストの残忍さが伝わってくるのです。

もうひとり、名もなき人々の「生と死」を主題とした作品を制作しているユダヤ系フランス人彫刻家の**クリスチャン・ボルタンスキー**（１９４４―）も、作品からホロコーストを連想させる作家です。

次ページの『シャス高校の祭壇』は、１９３１年にウィーンの高校に在籍したユダヤ人の学生たちの写真を祭壇状に並べた作品です。

これは、やがて忘れ去られていく記憶と「死」という事実をテーマに、一人ひとり

ボルタンスキー『シャス高校の祭壇』(1987年)(横浜美術館蔵)

の人間の重要性を伝えようとしたもので、とくにホロコーストを意識したものではないのですが、私はこの作品からも強くホロコーストを感じます。

戦争にしても自然災害にしても、多くの犠牲者が存在します。その人数を伝えるときに、私たちはよく「何万人の犠牲者」と表現しますが、その数字は単なる「塊＝グループ」ではありません。一人ひとりが誰かにとってかけがえのない大切な存在であり、個々に異なったひとりの人間の集合体なのです。

ボルタンスキーは、このように、犠牲となった人々をひと括りとして数えることの危険性を私たちに伝えているのだと思います。

この人に注目！　日本の2人の巨匠

日本人は美術鑑賞が大好きな国民です。

しかし、極端な面があり、ある展覧会で一人の作家の人気に火がつくと、その熱風にあおられるように人々が押し寄せます。前述の「若冲展」がいい例ですね。

一方で、見る価値のある企画展があっても、あるいは実力派の作家がいても、話題に上らなければ目を向けない傾向にあります。

これは、とてももったいないことです。できるだけ様々な美術に触れることが、アートライフを充実させる秘訣でもあるのですから……。

とくに、今、その名が表舞台には挙がっていなくても、忘れてはならない日本の芸術家には目を向けたいもの。

そこで、「日本の宝」ともいえる二人の巨匠をご紹介しましょう。

極限の環境で培った人間性を「頭像」に込めた日本のロダン――佐藤忠良

ひとりめは、「日本のロダン」とも称される宮城県出身の彫刻家、**佐藤忠良**《さとうちゅうりょう》（1912―2011）です。

1932年に画家を目指して上京しますが、ロダンやマイヨールなどの彫刻に影響を受け、彫刻家を志します。東京美術学校（現・東京藝術大学）を卒業後、彫刻家として活動し始めたものの、1944年に兵役に召集され、終戦後はシベリア抑留生活を送り、帰還後に再び制作を開始したという、この時代特有の壮絶な経験の持ち主です。

1981年にはパリのロダン美術館で日本人初の個展を開催するなど、国際的にも高い評価を得ている佐藤忠良ですが、では、彼の何がそんなにすごいのでしょうか。

なんといっても素晴らしいのは「頭像」の作品群です。

私は以前勤めていたギャラリーで、佐藤忠良展を開催するにあたり宮城県美術館に訪れたことがあります。そのとき、美術館に隣接する「佐藤忠良記念館」で彼の作品を見て、衝撃を受けました。
「すごい！」と。

忠良はシベリア抑留生活を3年間経験しているのですが、飢えと寒さに苦しむ絶望的な生活の中で、**人間の真の姿**を見たと語っています。

佐藤忠良『群馬の人』（1952年）（宮城県美術館蔵）

捕虜となった環境下では、元は位の高い軍人も、大会社の社長も、普通の人も、みな同じ扱いを受けます。しかし、捕虜の中にもできるだけ優位な立場に立つためにロシア人に媚《こび》を売ったり、仲間を裏切ったりする者が現れました。

反対に、リーダー的存在となって、仲間を励ましたり、希望を与え続けたりする者も……。

彼は、その**極限の環境の中でこそ現れる、人間の醜さや気高さ**に触れたのです。そしてその環境下で自身も苦しいのに、仲間に生きる力を与え続ける人の多くは、意外にも小さな村の大工だったり、元は市井に生きていた普通の人だったというのです。

シベリア抑留から奇跡的な生還を果たした後、彼がむきだしの人間に触れた手で最初につくった作品が、1952年に発表した頭像『**群馬の人**』(前ページ)でした。そして『常磐の大工』『母の顔』など、身近な人物を制作していきます。

代表作となったこの作品には、忠良が**人間の本質を目の当たりにしたことによって培われた人間観**が表れています。『群馬の人』をはじめとした忠良作品は、ぜひ見ていただき、その魂に触れておくべき傑作だと思います。

アメリカで人気を博し、有名画廊を支えた抽象画家 ―― 岡田謙三

忘れてはならない日本の巨匠として、もうひとりご紹介したいのは、「ユーゲニズ

ム」と呼ばれる独自の世界観を確立し、日本とアメリカの両国で活躍した画家、**岡田《おかだ》謙三《けんぞう》**（1902―1982）です。

横浜に生まれた岡田は1924年に東京美術学校を中退し、フランスに渡ります。パリで数年学び、帰国後は二科展を舞台に活動していましたが、新たな可能性を求めて1950年に渡米。ニューヨークに居を構えて絵画を模索する中で、当時ニューヨークに新風を巻き起こしていた抽象表現と出合います。そして、具象から抽象へと転じ、日本的な色彩感覚や自然観といった日本独特の「幽玄《ゆうげん》」を抽象画で表現するという画風にたどり着きました（165ページ参照）。

「ユーゲニズム（幽玄主義）」と名づけられた岡田の作品は、当時アメリカで大きな反響を呼び、評判となるのですが、この成功にはある画商が大きく関わっています。

それは、ニューヨークの名画商、**ベティ・パーソンズ**です。

1900年生まれの彼女は、絵画や彫刻を学び、作家活動を行なっていましたが、1946年にベティ・パーソンズ画廊を開設。**ジャクソン・ポロック**や**マーク・ロスコ**、**バーネット・ニューマン**、**フランツ・クライン**など抽象表現主義のパイオニアである画家たちを多数抱え、積極的にプロモートしていました。

岡田はこのベティ・パーソンズに認められ、1953年に初めての個展を開催します。会期中に数点が売れ、会期後には個人のコレクターのほか、ニューヨーク近代美術館やメトロポリタン美術館をはじめとする美術館にも収蔵され、大コレクターであったデヴィッド・ロックフェラーが顧客になることにより、瞬く間に全米に売れていきました。

結局、ベティ・パーソンズ画廊での個展は、ほぼ隔年で計12回も開催され、画廊にとって岡田はなくてはならない存在となりました。

というのも、当時はまだ抽象表現主義の絵画の売れ行きが芳《かんば》しくなく、唯一作品が売れる岡田が、画廊の台所事情を支えていたからです。いうなれば、ジャクソン・ポロックやマーク・ロスコ、バーネット・ニューマン、フランツ・クライン、クリフォード・スティル、ウィレム・デ・クーニングらも、岡田の作品が売れていたからこそ、支えられていたともいえるのです。

まさに二人三脚で、アメリカ現代アートの一時代を築いた岡田とベティ・パーソンズ。2人は1982年の夏、奇《く》しくも1日違いで永眠しました。

岡田謙三『82-OJ-015《雨》』(横浜美術館蔵)

ところで、アートに詳しい人ならご存じだと思いますが、ここに挙げた岡田以外の作家は現在、1点数十億円から数百億円もの値付けがされる巨匠ばかりです。

デ・クーニングの作品は1点300億円を超える金額で取引されています。しかし、この岡田謙三については、現在、日本人はおろかアートファンの間でも知っている人は少なくなってきています。

この事実を受け止めるとき、私たち日本人はもっと誇りを持って岡田謙三という作家に注目するべきではないでしょうか。

Column 3

あなたにとってのバッハとは？ 絵画と音楽の〝マリアージュ〟を楽しもう！

85歳にして現代アートシーンの第一線で活躍するドイツ人芸術家、ゲルハルト・リヒター。2015年、サザビーズ・ロンドンのオークションにて、油彩画の作品が約3000万ポンド（約54億円）で落札されるなど、現役作家の中で現在最も高額で取引される作家として有名です。

みなさんは「芸術家の作品は死んでから価値があがる」というイメージをもっているかもしれませんが、今日では、リヒターのように存命中に作品が評価され、価格が高額になる時代になっています。

ここでは、本章の141ページで取り上げたリヒターの作品『バッハ（1）』（左ページ）について、さらに考察を深めていくことにしましょう。

この作品は、バロック音楽の巨匠の「バッハ」に敬意を表して制作された作品であると同時に、ドイツ語では「小川」を意味しているというのは前述の通りですが、リヒターはこの作品を制作する時、実際にバッハの曲を流していたそうです。

ゲルハルト・リヒター『バッハ(1)』(2017年)

では一体、バッハのどんな曲をかけていたのでしょうか。
それを、みなさんと一緒に考えてみたいと思います。

バッハは1685年、ドイツの中央に位置するアイゼナハという都市で生まれ育ちます。アイゼナハは宗教革命を起こしたマルティン・ルターゆかりの地でもあり、バッハの一家はルター派の音楽家系でした。
バッハの代名詞とも言えるパイプオルガンの名曲『トッカータとフーガ二短調』はあまりにも有名ですよね。石組みのゴシック建築の暗い教会にステンドグラスの色鮮やかな光がやわらかく差し込み、ろうそくの火が揺らめく空間で突然バッハのこの荘厳なパイプオルガンの曲が流れてきたら――。誰しも、感動のあまり涙が溢れ出してしまうのではないでしょうか。

バッハのオルガン曲はゴシック建築の石組みのごとく、隙間なく音色を埋め尽くしていきます。その幾重にも重ねられる音色は、このリヒター作品の幾重にもレイヤーされる絵の具の層とイメージが重なり合います。

しかし、『バッハ（1）』と合わせるには、このオルガン曲は少々重い気もします。

それでは、バロック音楽の象徴ともいうべきチェンバロを使った軽やかな室内楽『管弦楽組曲』ではどうでしょうか。

特に第2番のフルートの音色は暖かく横に広がり、チェンバロの縦に立ち上がる音色とアンサンブルする弦楽器がリヒターのレイヤーと重なり合うようにも思います。ただ、このような宮廷音楽では、リヒターが求めたであろう〝崇高な精神性〟には、たどり着けそうもありません。

そこで私が導き出した楽曲が『ゴルトベルク変奏曲』です。

この曲は冒頭と最後に現れる「アリア」と30の「変奏曲」からなり、3という数字には「三位一体」の意味も込められているのではないかと思います。

とくに冒頭のアリアの旋律からは魂との対話を感じ、また調子が変わると人生に起こる様々な出来事が、リヒター作品のヴィヴィッドで表情豊かなレイヤーの調子と重なり合います。ピアニスト「グレン・グールド」による1981年に録音された『ゴルトベルク変奏曲』は円熟の域に達しており、最後に再び現れるアリアの演奏はまさに圧巻！　リヒター作品とよく合います。

ここまでは鑑賞する立場からの見解ですが、ここからはもうひとつ、制作者側の視点からも、『バッハ（1）』に合う、バッハの楽曲を探ってみることにしましょう。

作品を描きながら聴くことを考えると、先の『ゴルトベルク変奏曲』は、少し不向きかもしれません。リヒターが『バッハ』を描く時は、もっと暖かい音色の、制作に集中できるような音楽で、バッハと対話していたのではないかと思うのです。

リヒターのスタジオは緑の木々に囲まれ、鳥のさえずりが聴こえる、明るく広いスタジオです。真っ白い壁のその空間に架けられたキャンバスに向き合うと考えたとき、私が最後に落ち着いた選曲は『無伴奏チェロ組曲』でした。

第1番の「プレリュード」は誰もが一度は耳にしたことがある有名な曲だと思います。全部で6つからなる組曲はすべてを聴くと2時間はかかりますが、どの楽曲も制作への集中力を保たせてくれます。さて、この『無伴奏チェロ組曲』ですが、演奏者として真っ先に思い浮かぶのは「ヨーヨー・マ」でしょう。私は少し古いですが「パブロ・カザルス」を選びます。

さて、リヒターが実際に何を聴いていたのかはわかりません。そして私が特に音楽に詳しいわけでもありません。きっと音楽に詳しい方であれば「それは違うだろう」というご意見もあることでしょう。

しかし、ここにも正解はないのです。

それよりも大事なことは、鑑賞者の視点だけではなく、制作者側の視点にも立ってみて「もしも私だったら、どんな音楽をかけようか」と考えてみる楽しみ方もまた、絵画作品の鑑賞法のひとつなのだということです。

みなさんにとってのバッハを、ぜひ見つけてみてはいかがでしょうか。

第4章

アートディーラーとっておき！「名画にまつわる18のこぼれ話」

知ればますます心惹かれる作品に隠されたインサイドストーリー

名画には見る者を引きつけずにはおかない魅力がありますが、その裏には興味深いエピソードがあるものです。

ここでは、そうした**名画に隠されたインサイドストーリー**をご紹介しましょう。

価値のある版画はどっち？

さて、本題に入る前に、みなさんにひとつ質問です。

ここにオールドマスター、いわゆる18世紀以前に活躍した画家が制作した同じ絵柄の版画が2点あるとします。どちらも３００年以上前の作品です。

あなたは、次のどちらが価値が高いと思いますか？

Ａ：ほどよく彩度が落ち、それなりの歴史を感じさせる作品。
Ｂ：刷り上がったばかりのように鮮やかで、古さを感じさせない作品。
「オールドマスターの作品なのだから、フレッシュ感が漂うようでは贋作っぽいし、やはり古さを感じさせるものでないと」と考え、Ａを選んだ人もいるのではないでしょうか。

……残念！　正解はＢです。

理由をご説明しましょう。
版画はどんなに古いものでも、**今刷り上がったばかりというような生き生きとしたフレッシュなものに価値があります**。ですから、同じ作家の同じ作品が２つあったとして、どちらも目立ったキズやダメージがなかったとしても、片方に退色や日焼け、黄ばみなどがあると、２つの作品の価値は違ってきてしまいます。
版画を査定する場合、フレッシュな完品の状態を１００として、ダメージの数や大きさによって減点方式で価値が決まり、それに応じて価格も天と地ほど変わってしまうというわけです。

版画は飾りっぱなしにしておくと退色していきますので、1年のうちで展示は3カ月までと決め、残りの9カ月は湿度のない暗室で保管するなど、保存方法に留意する必要があります。

実は、オールドマスターの版画の中には、このように適切に保存されてきたことに加え、ある秘密のワザによって、今まさに刷り上がったばかりのような〝しっとり感〟を保っている作品があります。

版画を〝しっとり〟させるため、レンブラントが使ったモノとは？

その一例が17世紀のバロック期を代表するオランダの画家、**レンブラント**（レンブラント・ファン・レイン：1606―1669）の作品です。

レンブラント版画の傑作、**『三本の木』**（左ページ）は1643年に制作されたものですが、300年以上の時を経た現在でも、まるで**たった今刷り出したばかりのように黒色がしっとりし、魅惑的な風合い**を醸し出す作品が存在します。

レンブラント『三本の木』(1643年)

その〝しっとり感〟を演出していた秘密というのが、ズバリ「砂糖」です。

レンブラントは、当時、**香辛料よりも高価だった砂糖**を、なんと**インクに混ぜて版画を刷っていた**というのです。

これはオークションハウス・クリスティーズの版画スペシャリストに聞いた話ですが、レンブラントは砂糖がインクの乾燥を抑え、保湿の役割を果たすことを知っていて、インクに混ぜていたとのこと。これが、独特のしっとり感やテリを演出していたのです。

ただ、インクに工夫がしてあるとはいえ、保存状態がよくないものはやはり乾燥してしまいます。

私が以前勤めていたギャラリーで、この『三本の木』を持ちこまれたお客様がいました。

ところがその作品は、ひと目見てすぐにわかるほど、インクがカサカサした感じで、全体的にややセピア色に退色していたのです。


ちょうどその頃、前述のクリスティーズのスペシャリストが来日していたので、この作品を見てもらったところ、案の定、あまり状態のいい作品ではないと、断言されてしまいました。

たまたまギャラリーに同じ作品で状態のよいストックがあったので、お客様にも立ち会ってもらって、両方の作品を額から外して並べることにしました。

すると一目瞭然、2つは同じ作品のはずなのに、全く印象が違っていたのです。状態のいい作品は紙も白く、インクは深い黒色でしっとりとしており、今まさに刷り上がったばかりのような艶がありました。それはまるで、触ると指先にインクが付いてしまいそうな、半乾き状態に見えるほどです。

持ち込まれた作品との状態の違いは、明らかすぎるほどでした。

結局、お客様の作品の評価額はご本人の期待から大きく外れて数百万円となりましたが、状態のいい作品との違いを見ていただくことで、納得されたようでした。

東京・上野にある国立西洋美術館には、この傑作『三本の木』を含め、多くのレンブラント版画が収蔵されています。

残念ながら常設展示はされていませんが、今後見る機会があれば、インクのしっとり具合をチェックしてみるのも面白いと思います。

後からルーベンスの真筆と認められた作品『幼児虐殺』

大胆な構図と強烈なドラマ性で、その恐ろしいタイトル通りの凄惨な場面が見事に描かれているのが、バロック期の巨匠、ルーベンスによる『**幼児虐殺**』です。

幼児虐殺とは、マタイ福音書に書かれているエピソードで、ユダヤの支配者ヘロデ大王が、ベツレヘムに新しい王（イエス・キリスト）が生まれたと聞き、危機感を募らせてベツレヘムと周辺にいた2歳以下の男児をすべて殺害させたという出来事です。

この聖書のエピソードに基づいてルーベンスが描いた『幼児虐殺』は2作品あり、左ページ上の1作目は今でこそ最高傑作のひとつと称えられていますが、過去にはある誤りにより、永遠に失われてしまう危機に直面したことがあります。
一体何が起こったのか、詳しくご説明しましょう。

18世紀頃、この『幼児虐殺』とルーベンスの他の作品『サムソンとデリラ』（左ページ下）は、オーストリア・ウィーンのリヒテンシュタイン美術館に収蔵されていました。

それが、1767年にヴィンツェンツィオ・ファンティーによる転記ミスが原因で、この『幼児虐殺』は「ルーベンスの模倣画家」と言われたルーベンスのアシスタント、ヤン・ファン・デン・ヘッケの作であると記録されてしまったのです。

以来、ヘッケの作として1920年にオーストリア人一家に売却され、1923年以降はオーストリア北部の聖アウグスチノ修道会に貸与されていました。

何事もなければこの修道会にひっそりと存在し、多くの人の目に触れることもなかったはずですが、2001年に異変が起きました。

ルーベンス『幼児虐殺』（作者誤認から一転した作品）（1609－11年）

ルーベンス『サムソンとデリラ』（1609－10年）

ロンドンのサザビーズで、初期フランドル派やオランダ絵画を専門とするジョージ・ゴードンが『幼児虐殺』を鑑定し、絵の特徴や様式が『サムソンとデリラ』と同じであり、**まさしくルーベンスの手によるものであると認定**したのです。

これにより、2002年にはロンドンのサザビーズのオークションに出品され、手数料込みで4950万ポンド（約90億円）で落札されました。この価格は、当時オークションにかけられた名画の中で最高額でした。

落札したのはカナダの新聞王である第2代フリートのトムソン男爵、ケネス・トムソンです。落札後はロンドンのナショナル・ギャラリーに貸与され、2008年にカナダ・トロントのオンタリオ美術館に寄贈されました。

このようにして、晴れて『幼児虐殺』は模倣画家の絵画から、大作家の名画へと息を吹き返したのでした。

この作品のように、誰かの手違いによって、今もどこかに埋もれたままになっている名画があるのかもしれません。

報道写真の原点!? 暗殺現場を描いたダヴィッドの斬新さ

フランス革命といえば1789年に勃発した、王政に対する民衆の不満が爆発した市民革命です。

フランスの激動の時代であり、1793年には革命に関わる衝撃的な暗殺事件も起こりました。

そのシーンを描いたジャック＝ルイ・ダヴィッド（1748―1825）の**『マラーの死』**（次ページ）は、あまりにも有名な作品ですね。これは、事件からたった数カ月で描かれたもので、今日で言う**報道写真の原点にあたる絵画**としても過言ではない歴史的な作品となりました。

なぜなら、それまでこのようなニュース性のある絵画は、ほとんど描かれていなかったからです。

では、なぜダヴィッドは冷徹ともいえるまなざしで、この絵を描くことができたのでしょうか。

ダヴィッド『マラーの死』(1793年)

ダヴィッド『ホラティウス兄弟の誓い』（1784年）

それは、彼のある気質に由来しているのでは、と私は推測しているのですが、そこのところを探ってみたいと思います。

ルイ15世の愛人であったポンパドゥール夫人のお気に入りの画家、フランソワ・ブーシェを親戚に持つダヴィッドは、若手画家の登竜門であったローマ賞を獲得し、王政の国費でイタリアに留学します。そこで、イタリアの古典絵画の研究に没頭し、優美なロココスタイルから硬質な新古典主義へと方向転換をしていきました。

帰国後は、ルイ16世の注文により『**ホラティウス兄弟の誓い**』（上）を

1784年に完成させ、この傑作によって名声を得ます。

しかし、国費で留学し、国王の依頼で絵を描いていたにもかかわらず、ダヴィッドはフランス革命が起きると一転し、王政に反発する革命派ジャコバン党員として政治にも関与し、民衆がバスティーユ牢獄を襲撃した事件にも参加するのです。

そして、1793年、ジャコバン党の指導者であったマラーが、入浴中に対立勢力の刺客であるシャルロット・コルデーに暗殺されるという事件が起こり、ダヴィッドは前出の『マラーの死』を描いたのです。

さらに1974年には、ルイ16世を即時処刑すべきと主張する恐怖政治家であったロベスピエールと組み、革命派として国民議会の議員になったのですが、ひとたびロベスピエールが失脚すると、自分の立場の危うさを察知し、あっさりと仲間を裏切り、今度は意気投合したナポレオンについていくことを誓うという変わり身の早さ。

裏切られたロベスピエールはといえば、断頭台に向かう途中でダヴィッドの姿を見つけ、「このゲス野郎!」と叫んだといいます。

思うに、ダヴィッドは**その時々で形勢を見て、有利な方につく日和見主義**だったのでしょう。自分が生き残るためには、コロコロと立場を変えることも厭わない。そんな冷静で冷淡な性格だったからこそ、この『マラーの死』が描けたのだと思います。

元祖「クール・ジャパン」！　浮世絵に魅了された印象派の作家たち

江戸時代、庶民に親しまれ、大流行した浮世絵ですが、海を越えて印象派の作家たちにも愛されていたことをご存じでしょうか？

浮世絵が海外へと渡ったのは、日本から陶器を輸出したときの梱包材として使われたことが最初だったともいわれていますが、本格的に披露されたのは1867年にフランス・パリで開催された万国博覧会でした。

このパリ万博に浮世絵が出品されたことがきっかけとなって、19世紀後半の西欧に日本の伝統芸術の一大ムーヴメント「**ジャポニスム**」が巻き起こり、西洋美術に多大な影響を与えました。

とくに、浮世絵の**平面的な表現や斬新な構図、鮮やかな色使い**に刺激を受けたのが、印象派の画家たちです。

たとえば、**マネ**や**モネ**、**ルノワール**といった初期の印象派の作家たちは、作品の背景に浮世絵や日本的な調度品などを描いたり、着物を着た人物を描いたりと自分の作風の中に積極的にジャポニスムを取り入れました。モネの有名な作品『**ラ・ジャポネーズ**』（左）は、その典型と言えます。

後期印象派になると浮世絵の影響度合いはさらに大きくなり、画家たちはその技法や色使い、構図などを作品に生かし、自分なりの作風をつくり上げていきました。

なかでも、浮世絵を400点以上もコレクションし、自らも模写して研究するなど、熱烈な浮世絵マニアだったのが**ゴッホ**です。

独学で絵を学んでいたゴッホは、初めはミレーに傾倒して暗い絵を描いていました。1886年にフランス・パリに移り住んでから、いわゆるゴッホらしい明るい画風が確立されるのですが、そこには浮世絵が大きく関わっていたと考えられます。

ゴッホの『**星月夜**《ほしづきよ》』と葛飾北斎（1760—1849）の《**富嶽三十六景**《ふがくさんじゅうろっけい》》『**神奈川沖**《かながわおき》**浪裏**《なみうら》』を見比べてみれば、その影響がよくわかるでしょう（189ページ）。

モネ『ラ・ジャポネーズ』（1876年）

また、セザンヌも北斎の《富嶽三十六景》『富士山』にインスパイアされ、代表作でもある**『サント・ヴィクトワール山』**を描きました（190ページ上）。それまで**西欧では題材として山そのものを描くということは一般的ではありませんでした。**ところが、セザンヌは日本人の**山岳信仰**が表れている『富士山』に触発され、故郷の山であるサント・ヴィクトワール山を何枚も描き続けたのです。それは**一神教《いっしんきょう》**（ひとつの神のみを認める宗教）**であるキリスト教文化が根強い当時のヨーロッパでは、きわめて珍しいこと**でした。

さらに、**ゴーギャンの平面的な画面構成や大胆な構図**もまた、浮世絵から学んだものといえます。

ゴーギャンの『説教の後の幻影〜ヤコブと天使の闘い』では、**画面の真ん中に太い木**が描かれています。こうしたダイナミックな構図は西洋美術には見られないもので、歌川広重《うたがわひろしげ》（1797―1858）の《名所《めいしょ》江戸《えど》百景《ひゃっけい》》『亀戸《かめいど》梅屋舗《うめやしき》』などの浮世絵の影響にほかなりません（191ページ）。

上：ゴッホ『星月夜』（1889年）
下：葛飾北斎《富嶽三十六景》『神奈川沖浪裏』（1831年頃）

上：セザンヌ『サント・ヴィクトワール山』(1902年)
下：葛飾北斎《富嶽三十六景》『富士山』(1831―33年)

上：ゴーギャン『説教の後の幻影
　　〜ヤコブと天使の闘い』（1888年）
下：歌川広重《名所江戸百景》『亀戸梅屋舗』
　　（1856−58年）

浮世絵に魅了された印象派の作家たち。今日の「クール・ジャパン」の、まさに走りともいえるムーヴメントが、浮世絵から始まった「ジャポニスム」だったのかもしれません。ここでは、代表的な作品を4点ほどご紹介しましたが、彼らの作品には、浮世絵という日本の伝統文化が息づいていることがおわかりいただけたことでしょう。

そう考えると、私たち日本人の多くが印象派の作品に惹かれるのも、ある意味では必然といえるのです。

◆　◇　◆

エリック・クラプトン所蔵のリヒターが11年で30倍の高値！

エルトン・ジョンやマドンナ、レオナルド・ディカプリオなど、著名なミュージシャンや俳優の中にはアートコレクターとして名を馳せている人たちがいます。

イギリスのミュージシャン、エリック・クラプトンもそのひとり。世界のクラプトンですから、アートの売買金額もスケールが違います。

なかでも、大きな話題となったのが、ドイツの現代アート作家、**ゲルハルト・リヒター**の作品売買にまつわるエピソードです。

2001年、サザビーズ・ニューヨークでは、リヒターが1994年に描いた油彩の抽象画『**アブストラクテス・ビルド**』の3作品をオークションにかけました。リヒターの作品といえば、第3章の141ページや167ページでもご紹介した『バッハ(1)』のように、何層にも重ねたペインティングにより、複雑な表情を見せる抽象画が特徴的です。この『アブストラクテス・ビルド』もこうした流れをくむ、いかにもリヒターらしい作品でした。

サザビーズでは、3点まとめて100万ドルを予想落札額としていたのですが、それをなんと約3倍の340万ドル（約4億1500万円）で落札したのがクラプトンでした。

クラプトンはよほど、この3作品を手に入れたかったのに違いありません。随分高値で購入したところに、彼の意志の強さを感じます。

そして、ある日、リヒターがクラプトンの自宅に遊びに来ます（それもすごい話ですが）。クラプトンは「あなたの絵を買ったんですよ」と『アブストラクテス・ビルド』の3作品を見せたところ、リヒターは言いました。

「これは、実は4作品あるんだよ」と。

それを聞いたクラプトンが落胆したのは想像に難くありません。なぜなら、4点のうち真ん中の1点が欠けていることがわかったからです。そのため、しばらくすると3点のうちの1点を売りに出してしまいました。

2012年、サザビーズで競売にかけられたクラプトン所蔵の『アブストラクテス・ビルド（809―4）』は、サザビーズが予想していた1400万～1900万ドルの落札価格を大幅に上回り、約3400万ドル（約27億円）で落札されました。

クラプトンはこの絵をわずか11年間所有しただけで、なんとドルベースで30倍もの価格で売却できたというわけです。

サザビーズによると、現役の芸術家による作品としては、過去最高の落札価格（2012年当時）になったということでした。

作品そのものの素晴らしさに加え、クラプトンが所有していたことで付加価値がついたことも高値の背景にあるのでしょうが、間違いなくクラプトンは優れたアートを見抜くことができる〝目利き〟でもあるといえるでしょう。

ムンクの『叫び』に描かれた「不気味な空」の謎

さほどアートに詳しくなくても、その絵画のタイトルを聞いただけで、あの恐怖にゆがんだ顔が浮かんでしまう——。

それほど世に広く知られているのが、ノルウェー出身の画家、**エドヴァルド・ムンク**（1863—1944）の『**叫び**』（次ページ）（1893年）です。

この『叫び』は、同名で似た構図の絵画やリトグラフが複数枚制作されています。とくに、1910年の制作とされる油彩・テンペラ画のもの（オスロ国立美術館所蔵）が最も知られている作品で、人物の表情はもちろん、背景に描かれたオレンジ色のうねったような空も不気味な印象を与え、見る者の不安感をかき立てます。

この空に関しては、神経症や女性関係などに悩んだムンクがその精神的苦痛を描写したもの、あるいは火山噴火を描いたものといった諸説はありましたが、2017年4月にオーストリアの首都ウィーンで開かれた欧州地球科学連合総会において、新た

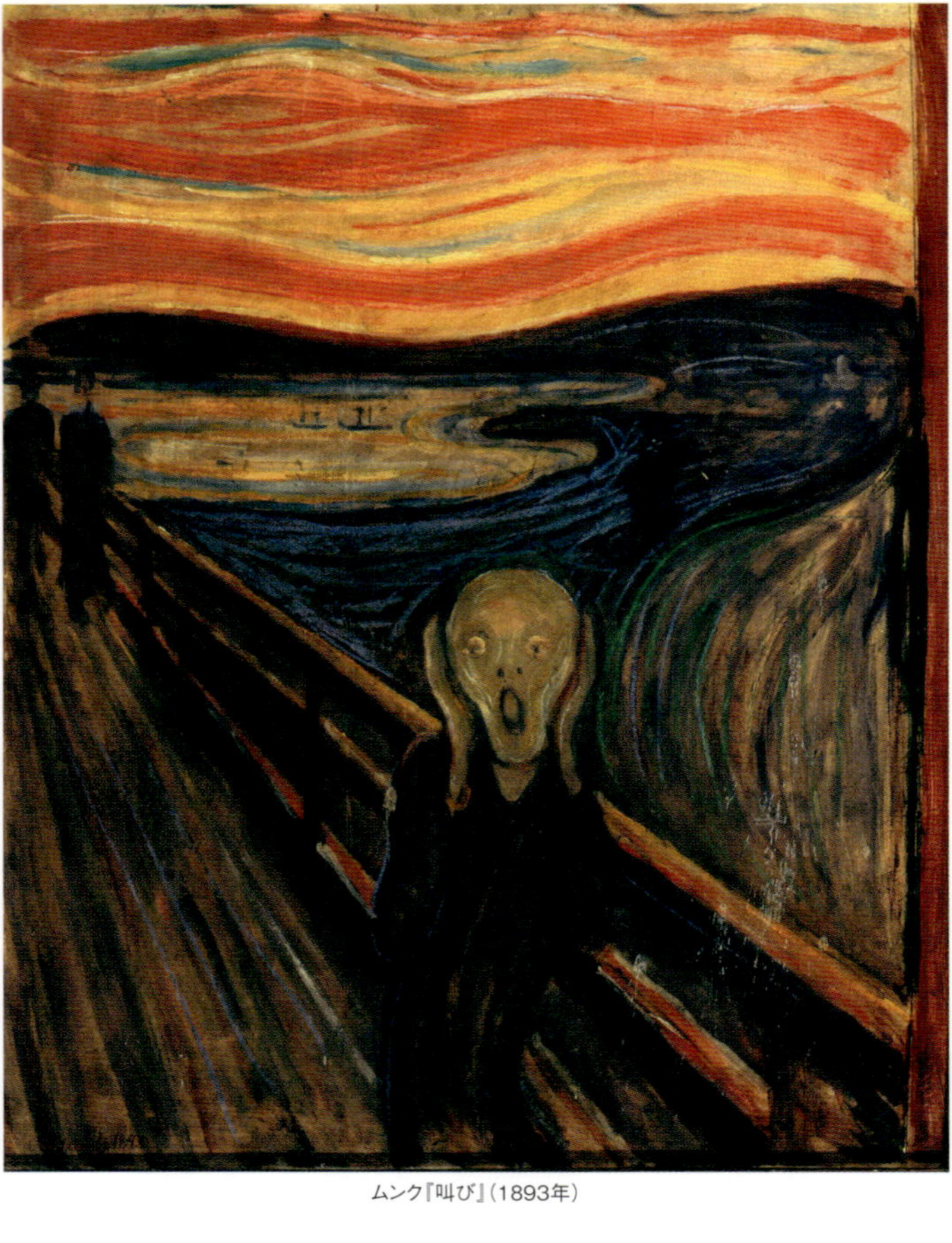

ムンク『叫び』(1893年)

な仮説が発表されました。

それは、ムンクが「**真珠母《しんじゅぼ》雲《ぐも》**」から『叫び』の着想を得たのではないかという説です。「真珠母雲」とは、高度20～30km付近の成層圏で形成される世にも珍しい雲。高高度にある雲のため、日没後も太陽光を受けて輝くシーンが見られるそうです。

この雲は、ちょうどムンクがオスロで制作に励んでいた19世紀後半にノルウェーの首都オスロ周辺で観測されたという記録が残っており、２０１４年にも同国で観測されました。

その時の雲の形が『叫び』の背景に似ていたため、ムンクは「真珠母雲」からヒントを得た可能性があるという仮説につながったわけです。

ムンクの『叫び』と上の「真珠母雲」の写真を

真珠母雲

見比べてみると、確かに酷似しているようにも思えます。
現在この説が一番有力だと考えられていますが、真実はわかりません。
しかし、私は謎のままでいいと思います。
さて、みなさんはどう思われるでしょうか？

西洋美術史を動かしたキーパーソンたち

西洋美術史は、はるか古代から何度も大きく変革しながら今に至っているわけですが、その転換点には陰ながら流れを変える鍵を握っていた人物が存在しました。

ここでは、そうしたキーパーソンをご紹介しましょう。

ルーカス・クラナッハはルターの宗教改革を成功させた功労者

ドイツの**マルティン・ルター**（201ページ）が主役となった**宗教改革**は西洋の歴史を動かした重大な出来事ですが、これは西洋美術にも大きな変化をもたらしました。

それをご説明する前に、まずは宗教改革について簡単におさらいしましょう。

16世紀、イタリア・フィレンツェの大富豪だったメディチ家出身のレオ10世が、カトリック教会の頂点であるローマ教皇に就任すると、カトリック教会の総本山「サン・ピエトロ大聖堂」の大改修に取り掛かりました。その費用を集めるために、罪の償いを軽減するための証明書である**「免罪符」**を大量に売りさばきました。罪を犯してもお金を払えば許されるわけです。

神学者のルターはこの「免罪符」に異を唱え、世俗化するカトリック教会の腐敗を改善する運動を起こし、キリスト教の新教であるプロテスタントを成立させたのです。

これが宗教改革のあらましですが、この改革により人気を失ったカトリック教会が講じた対策によって、**バロック様式**が誕生し、西洋美術の潮流が大きく変わっていくことになるのです（→第2章：65ページ参照）。

ところで、ルターはなぜ強大な勢力を誇っていたカトリック教会を相手に、宗教改革を成功させることができたのでしょうか。

実は、その陰にはドイツの画家である**ルーカス・クラナッハ**（1472―1553）の協力がありました。

クラナッハは画家としての才能だけでなく、ビジネスのセンスも有していたようで、大型の工房を運営して絵画を大量生産する一方で、ルネサンス三大発明のひとつである、活版印刷の印刷所も運営して富を築いていました。

このクラナッハとルターは親交があったため、ルターの教えをクラナッハがどんどん印刷し、ばら撒いたおかげで、ルターの思想は一気に拡散して多くの人々の共感を得るところとなったのでした。

マルティン・ルター（ルーカス・クラナッハ作・1529年）

と、いうことは、もしクラナッハがいなければ、ルターの宗教改革は成功せず、バロック様式も誕生しなかったのかもしれません。

もしもバロック様式が誕生しなければ、光の魔術師といわれるカラヴァッジョやルーベンスやレンブラントの画風も、聴衆を魅了するオペラも、ヴェルサイユ宮殿も誕生しなかったのかもしれないのです。

歴史に〝もしも〟はない、とはよくいわれ

る言葉ですが、ルターとクラナッハがいたおかげで、西洋美術史に「バロック様式」の1ページが加えられたのだと思うと、運命の巡り合わせに感謝してしまうのは、私だけではないでしょう。

なぜアメリカの美術館に、印象派とルネサンス絵画が多いか？

1776年に建国したアメリカ。国としての歴史が浅いこともあり、しばらくは国際的規模の美術館は存在しませんでした。

1800年代後半になって、ようやく自国に美術館がないこと、つまりは文化がないことを憂う人々が増え始め、ニューヨークの**メトロポリタン美術館**や**ボストン美術館**、**シカゴ美術館**といったアメリカの三大美術館をはじめ、数々の美術館が開館し始めます。

また、事業に成功し、富を手に入れた実業家などは教養のひとつとして美術品を購入し、大コレクターとなっていきました。

アメリカでは、キリスト教精神のもと、公の機関などに寄贈や寄付をすることを美徳とする風潮があるため、彼らは自分のコレクションを惜しげもなく美術館に寄贈したり、個人の美術館を設立して多くの人々が鑑賞できるように計らいました。
こうして建てられた**アメリカの美術館には、実に多くのルネサンス絵画と、印象派の絵画が所蔵**されています。それは、一体なぜなのでしょうか。

印象派の評価が上がったのは、メアリー・カサットのおかげ

1800年代後半といえば、フランス美術界に印象派が生まれた時代ですが、当時は新古典主義を規範とするアカデミー画壇が君臨していましたから、前衛的だった印象派は全く評価されませんでした。

にもかかわらず、印象派の絵画が異国のアメリカで売れ始めたのです。その立役者となったのがアメリカの女流画家、**メアリー・カサット**（1844―1926）でした。

彼女は株の仲買人で成功した父親と、実家が銀行業を営む母親という、裕福な家庭に育ちました。

美術に興味を持ち、フィラデルフィアの美術学校で絵を学んでいたカサットは、反対する両親を説得し、画家になるためにパリに渡ります。そこで、ドガのパステル画

に心を打たれ、その2年後にドガとの対面を果たし、印象派の仲間入りをして1874年の第1回印象派展に作品を出品しました。

一方で、カサットはペンシルベニア鉄道の社長だった兄をはじめ、アメリカの美術コレクターに印象派絵画の魅力を説き、購入をすすめていきました。

カサットの代表作『オペラ座の黒衣の女（オペラ座にて）』（1879年）

カサットの熱心な働きかけが功を奏し、やがて、印象派の絵画はアメリカの富裕層のコミュニティで話題になり始めます。そうして、1886年にはニューヨークで初めて印象派の展覧会が開催されることになったのです。

カサットとも交流があり、印象派の作家を一手に引き受けていた画商**デュラン・リュエル**がフランスからアメリカに作品を送り、展覧会は大成功。以後、印象派の作品が値上がりを始めるようになります。

初期にカサットのすすめで印象派絵画を購入した不動産王ポッター・パーマーの夫人のコレクションが、現在、シカゴ美術館の印象派作品の中核となっているなど、アメリカに印象派の重要な作品が多数存在する陰には、こんな事情があったのでした。

ベレンソンがいなければ、ルネサンス絵画は日の目を見なかった!?

今でこそ、イタリア・ルネサンス期の絵画は世界的に知れ渡っていますが、もしもある人物の働きがなければ、私たちはその存在を知ることはなかったかもしれません。

その人物とは、19世紀〜20世紀の美術史家・美術評論家である**バーナード・ベレンソン**（1865―1959）です。

リトアニア出身で両親とともにアメリカ・ボストンに移住したベレンソンはスラム街で育ちますが、高等教育を受けたいと願い、勉学に励みます。

幸運にも友人の紹介でボストンの資産家である**ジャック・ガードナーの妻イザベラ**

と出会い、ベレンソンの将来性を見込んだ彼女の援助を受けてハーバード大学で学び、優秀な成績を収めます。

そして、イタリアに移り住んで美術史家として研究に取り組み、イタリア・ルネサンス絵画の専門家として作品の真贋の鑑定を行なうなど活躍し始めました。

当時、イタリアではレオナルド・ダ・ヴィンチやラファエロといった巨匠の作品は価値あるものとして丁重に扱われていましたが、それ以外の作家の作品はまるで値打ちがないかのごとく扱われていました。

そこで、ベレンソンはイタリア中をまわり、教会や民家に眠っているルネサンス絵画の数々を見つけ出しては、独自に研究を重ねていったのです。

そうして、1894年には**ボッティチェリ**の傑作『**ルクレツィアの物語**』を見つけ、恩返しの意味も込めて真っ先にガードナー夫人にすすめました。

これを機に、ガードナー夫人はベレンソンを美術顧問とし、**ジョット**や**ティツィアーノ**、**フラ・アンジェリコ**、**ミケランジェロ**、**ラファエロ**などの名作をベレンソンの助言を得て購入していきました。

ガードナー夫人はさらに他国の美術品も収集し、1903年、ボストンに**イザベラ・スチュワート・ガードナー美術館**を開館します。ちなみに、フェルメールの『合奏』も展示しましたが、1990年に盗難に遭い、いまだに行方不明のままとなっています。

さて、ガードナー夫人の美術顧問を務めたことで富裕層の人々に名前が知られるようになったベレンソンは、大富豪の**ポール・ゲッティ**や**J.P.モルガン**の美術顧問となったほか、当時の大画商だった**デュヴィーン**や**ウィルデンスタイン**のイタリア絵画の相談役にもなったため、ベレンソンを通じてイタリア・ルネサンス絵画が続々とアメリカに流入するようになりました。

その結果、アメリカの三大美術館はもちろん、ロサンゼルスの**ポール・ゲッティ美術館**、ニューヨークの**フリック・コレクション**（↓コラム1：46ページを参照）、銀行家**アンドリュー・メロン**が設立した**ワシントン・ナショナル・ギャラリー**など、アメリカの様々な美術館にルネサンス絵画が収められることになり、そこから世界中に知られるようになったのです。

ちなみに、ベレンソンは売却価格の５％を報酬として受け取っていたため、富裕層の美術顧問になってからは裕福になり、研究に没頭することができるようになりました。現在の研究者の間では、最も理想的なライフスタイルを送った研究者とされています。

ところでベレンソンは、当然ながらルネサンスの巨匠、レオナルド・ダ・ヴィンチの研究も行なったはずですが、意外にもダ・ヴィンチに対する評価は低いものでした。その理由は、絵画に**美と精神性**を求めていたベレンソンにとって、ダ・ヴィンチの絵画は技巧的すぎると感じられたからです。

ベレンソンがそう感じたのも無理はありません。

何しろダ・ヴィンチは、絵画に対してこんな言葉を残しているのですから。

「絵画とは、やがては滅んでしまう存在の美しさを留めておくことができる素晴らしい科学である」――

アートディーラーの本領発揮!? 入手した美術品の真贋を見極める

私たちアートディーラーの仕事とは、端的に言えば美術品を仕入れてアートコレクターである顧客に販売することです。

ですから、美術品を入手する際は、その作品の良しあしはもちろん、**それが本物かどうかの〝真贋を見抜く〟**ことが重要となります。

とくに、古い絵画の場合、贋作が多く出回っていますので細心の注意が必要です。

「鑑定書」が売買契約の基本

では、どのようにして贋作を見分けるのでしょうか。

基本的に、作品には鑑定書が付いています。それぞれの作家には国際的に認められた研究機関があり、その機関が発行した鑑定書がないと作品の売買は成立しません。

その証明書があり、「カタログ・レゾネ（全作品集）」もそろっている場合には、カタログと照合して、同じ作品であるかどうかを判断するところから始まります。

ただし、実物はカタログ・レゾネの印刷と、微妙に色が異なるケースもあるので、白黒写真を使って、判断することもあります。


鑑定書がない場合には、海外の研究機関に作品を送り鑑定を依頼することになりますが、鑑定料と往復の送料がかかるため、見た瞬間に怪しいと思ったら、その場で「難しいと思います」と持ちこまれたお客様にお伝えします。

ここでは決して、贋作であるとは断言しません。お客様に判断を委ねるわけです。

なぜなら、鑑定料と往復の送料だけでも１００万円近くかかってしまいますし、作家によっては研究機関が贋作判定をしてしまうと、その場で破棄されてしまい、作品が戻ってこないリスクがあるからです。

そのため、事前にこちらである程度の判断をするというわけです。

専門家ならではの贋作の見分け方、着眼点

では、実際にどのように判断しているのか、簡単にお話ししましょう。

まず初めに、第一印象が最も大事です。私たちが自分の目で見て、その作品に**違和感を覚えるかどうか**、に尽きます。非常に感覚的な表現になりますが、これまで本物の作品を多数見てきた経験によってそうした直感が培われるのです。

私たちは絵画を箱からスッと出した瞬間に「これは違う」と、ピンと来ることがあります。

何《い》か違和感があるわけです。後述しますが、たとえば、あまりにもブサイクすぎるモネや、反対に、踊り子のスタイルがよすぎるドガ、そして自信のない〝ひ弱〟な線で描かれたピカソなど……。

なかには〝**額縁**〟にもヒントが隠されていることが、ままあります。

すなわち、作品に比べて額縁がアンバランスに感じられるときです。質素すぎたり、

あるいは逆に本物に見せようとするあまり、額縁が過剰にデコラティヴだったりと、作品との一体感に欠けるわけです。

冷静に考えれば、一点、数千万～数億円もする価値のある作品を、数万円の額縁には入れませんよね。私たちは数多くのアンティークフレームを見てきているので、額縁の違いも、ひと目見ただけで見抜いてしまうのです。

また、画商ならではの〝**知識**〟によって、贋作を見破ることもあります。

私がウィルデンスタイン東京に所属していた頃は、印象派の作品の一部だけをひと目見て、どの作家が描いた何の作品かを当てるという訓練や、まだ見たこともないような作品を、タッチや線の特徴だけで、誰の作品か導き出すという訓練をしていました。

これによって、作家ごと、作品ごとの微妙なタッチの違いがわかるようになりましたし、ほかにも「基本的に、モネは黒の絵の具は使わない」といった作家ごとの特徴も学びました。

私たちが鑑定するときには、必ず絵画を額縁から外し、絵画の〝**裏側**〟（業界では

〝裏ゆき〟と呼びます）を見ます。すると、描かれた年代が古いはずなのに、キャンバスに真新しさが漂っていたり、反対に経年劣化を装って不自然に汚されていたりすることがあります。こうなると間違いなくアウト。

「裏ゆき」からは、贋作かどうかを見極めるための、実に様々な情報を読み取ることができるのです。

あるべきものがなく、なくていいものがあった贋作の『考える人』

同じような話で、本物に見せるために施した、手の込んだ加工が、かえって贋作の証拠となることがあります。

これは、実際に私が経験した贋作の話です。

オーギュスト・ロダンの『**考える人**』（次ページ）は、誰もが知っている有名なブロンズ像です。

日本だけでも国立西洋美術館や京都国立博物館、新潟県立近代美術館、静岡県立美

ロダン『考える人』(新潟県立近代美術館・万代島美術館蔵)

術館など数カ所に設置されています。大きさも3サイズあり、世界中のものを数えれば、その数は何十体となるでしょう。

この『考える人』の真贋を見抜くのはなかなか困難です。たとえ本物でも、鋳造《ちゅうぞう》の順番によって違いが生まれるので、パッと見ただけではわかりにくいのです。

しかし、お客様から「これを売りたい」と持ち込まれた『考える人』が、あるモノによって偽物であることが判明したことがありました。

実はこのときは、関係者の中でも真贋の評価が分かれました。

まず、海外の大手オークション会社の専門家は本物と断定しましたが、別の人間は首をかしげ、さまざまなパーツを写真に撮り、本物とわかっている国立西洋美術館のものと見比べたり、新潟県立近代美術館の『考える人』の資料と突き合わせたりと、いろいろ手を尽くして調べました。しかし、真偽がはっきりしません。


そこで、ロダン彫刻の設置を数多く手がける大学の先生（彫刻家）に相談したところ、この『考える人』をひっくり返して、内側を確認してみましょう、ということになりました。早速、内側を見てみると、銅サビ、いわゆる緑青《りょくしょう》がふいていたのです。

それを見た先生が、「これは、怪しい！」と言いました。

なぜなら、**風雨にさらされる表面には緑青がふきますが、その影響にさらされない内側には緑青がふくはずがない**のだそうです。

なるほど、それを知らず、贋作の作者は内側にもご丁寧に緑青風の加工をし、さも本物のように装ったというわけです。

加えて、『考える人』は前かがみのポーズをとっている関係で、重心が前方に偏るので、前に転がらないよう、鋳造の際は後方部分にバラスト（重り）を組みこむのですが、持ち込まれた『考える人』にはそれがありませんでした。贋作をつくった人間はこうした作品内部の情報を知らなかったのでしょう。

ここまで材料がそろったところで、最後にダメ押しとなったのはブロンズの成分でした。

オーナーの許可を得て、内側を少し削り、調べたところ、本物とは異なる成分比率であることがわかったのです。この比率については、ここで明かすことはできませんが、これらすべての材料によって、持ちこまれた『考える人』は偽物ということが明らかになりました。

後日談ですが、ロダンの弟子である**エミール・アントワーヌ・ブールデル**（1861—1929）制作の、ブロンズ像『**サッフォー**』（ギリシア女流詩人をモデルにした作品）が、設置場所の改修工事のため、別の場所に移されるという現場に立ち会う機会がありました。この作品は何年間も屋外に展示されていた作品でした。

となると、本物のブロンズ像の内側に緑青がふくのかどうか、確かめる絶好のチャンスです。

何年も風雨にさらされ、表面には緑青がふいていた『サッフォー』がクレーン車で吊り上げられた瞬間、私はすかさず内側を覗きこみました。

結果は……やはり、緑青はふいていませんでした。

まさかの再会!?　裏市場をぐるぐる回り続ける怪しい作品

美術品に贋作はつきもので、美術界は多くの詐欺師が横行する世界でもあります。

当然、私も何度か遭遇したことがあるのですが、なかでも10年ほど前の出来事は、強烈に印象に残っています。

それは、ある大企業の創業家一族と名乗る人物からの依頼でした。

モネとピカソの絵画を売りたいので、会ってほしいとのこと。場所は地方都市です。

そこで、ホテルの一室を借りて作品をビューイングすることにしたのです。

私は、ウィルデンスタインが制作しているモネのカタログ・レゾネと、ピカソのカタログ・レゾネとして最も信頼されている『ゼルボス』を持参し、指定したホテルに赴きました。

絵画を携えてやってきたのは、白髪の素敵な紳士と付き人のような若い男性の2人。若い男性のほうは白い手袋をして、うやうやしく作品を差し出しました。


まずは、ピカソです。

白髪の紳士持参の絵画を『ゼルボス』で調べてみると、確かに似たような作品が掲載されています。しかし、ピカソは通常、制作した絵画に日付を入れるのですが、その日付は1日違いになっており、サイズも違います。**ピカソが1日違いで同じ絵を描くとは思えません**。

さらに、絵をよく見ると、『ゼルボス』の作品に比べて、**線に迷いがある**ことがわかりました。**本物のピカソに迷いがあるはずはありません**。あのピカソですから。

そこで、この作品は、怪しいとすぐにわかりました。

次はモネですが、白髪の紳士が持参した作品はそもそもカタログ・レゾネに載っていませんでした。しかも、海岸を男女が歩いている絵だったのですが、その男女の絵が**ビックリするくらい下手**だったのです。

さらに決定的だったのは、前述の「裏ゆき」です。

名画は世界中の展覧会を渡り歩くものですから、キャンバスの裏側に出品された展覧会やギャラリーのシールなどが貼られていることはあります。

ただ、**偽物はやりすぎる**きらいがあるのですね。

持ちこまれた作品には、あるシールが貼ってありました。そのシールとは、美術界では権威ある機関のお墨付きを示すようなシールでした。

結果的に、そのシールが決め手となりました。なぜならば、その権威機関はそうしたシールをつくってないからです。

白髪の紳士はそれを知らなかったのでしょう。


2点とも、限りなく怪しい作品です。

そこで、私は彼に「これらは扱えません」と言い、彼らもあっさりと引き下がりました。

いかにも資産家らしい、堂々としたふるまいで、紳士然としていた白髪の素敵な紳士は、実は見事な詐欺師だったというわけです。彼らの手の込んだやり方は、知識のない人であれば、うっかりだまされても不思議ではありませんでした。


さて、この5年後、驚くことに私はこの作品と再会することになります。

どこから手に入れたのか、別の人があの2点の怪しい作品を持ち込んできたのです。

もちろん、取り扱えないことをお伝えしました。

しかし、このようにして**怪しい作品は市場をぐるぐると回り続ける**ということです。

ドガの『踊り子』は〝垢抜けない女の子〟こそ本物の証し

これまでに見て印象に残っている怪しい作品といえば、ドガの作品も思い出します。それは踊り子を描いたパステル画でした。

ものすごくドガの雰囲気が出ている作品なのですが、どうしても違和感があります。

そこでその理由をひとつずつ見つけていくことにしました。

まず**踊り子のウエストを見ると、キュッと締まり過ぎている**ような印象を受けます。そして**腕を見るとほっそりとして**います。**全体的にとてもスタイルがよく、可愛らしく描かれている**のです。

実は、それが違和感の原因でした。

というのも、ドガが描いた踊り子たちは、恵まれない家庭に育ち、家計を助けるために地方から出てきて舞台に立ち、パトロンがつくことを望んでいた垢抜けない女の子たちがほとんどでした。

ですから、もともと**スタイルがよかったり、可愛い女の子は少ない**わけですが、ドガはそこを美化せずに純朴な少女たちを忠実に描いたので、**本物の作品の踊り子たちの姿が洗練されているはずはない**のです（次ページ参照）。

私たちが怪しいと思った作品は、要するに売らんとするがために、美を追求しすぎてしまっていたのです。

ドガが描く踊り子たちは決して美しくないというのは、画商の間では有名な話です。今でこそ、その辺りも含めてドガ作品の味わいとして評価されていますが、かつては売りにくさを理由に、なんと踊り子の顔を描き変える画商までいました。

それは、**ラファエル・ジェラール**という画商で、ウィルデンスタインの3代目、ダニエル氏が見知っていた人物です。

ダニエル氏の回想録によると、彼は仕入れた絵に自ら手を加えて、台無しにしていたといいます。とくに、ドガの作品については「きれいな踊り子じゃないと売れない」と言って、踊り子を美人に描き変えていました。

ドガ『3人の踊り子』(1873年)

また、昔の貴族は馬の絵を好む一方、**牛の絵は「農夫」をイメージさせる**ので購入しなかったそうです。画商にしてみれば牛の絵は売りにくいので、ジェラールは絵の中にいる牛をすべて塗りつぶしてしまったとか。なんとも、ひどい話ですね。

しかし、実際、売りにくい絵というものはあるもので、日本でも経営者などは絵を購入する場合に験《げん》を担《かつ》ぐことがあります。

これも、ドガの作品ですが、踊り子の人数が多い絵をすすめたところ、「**足が多い作品は、〝足が出る〟につながる**」ということで、購入を拒まれたというエピソードを聞いたことがあります。

あのジェラールがその絵を扱っていたら、売りやすいように踊り子を一人だけ残して、あとはすべて塗りつぶしてしまうという暴挙に出たかもしれませんね。

ルノワールらしからぬ男性肖像画に、贋作への疑問符

一方で、非常に稀なことではありますが、持ち主が贋作だと思っていたのに、鑑定したら本物だった、というケースもあります。

絵画や骨董品といった美術品は相続財産として扱われ、**相続税の課税対象**になりますので、相続した作品の真贋や評価額の鑑定をお客様から依頼される場合もあります。

ある日、ウィルデンスタイン東京に持ち込まれた作品も、お客様が遺産として相続されたものでした。

お客様が仰《おっしゃ》るには「これは亡くなった父が所有していたもので、本人はルノワールだと言っていたのだが、どう見ても偽物だと思う。偽物なのに高額な相続税を払うのはバカらしいので、偽物だと証明してほしい」とのこと。

確かにルノワールの作品には、贋作が数多く存在します。

国内では昭和の時代に滝川《たきがわ》太郎《たろう》という鑑定家で、画家でもある贋作師が、コロー、ルノワール、セザンヌなど200点以上の贋作を制作した事件がありました。

そう考えれば、この作品も滝川の手によるものかもしれません。

ただ、ひと目見て、私たちは疑問を抱いたのです。

なぜならば、そこに描かれていたのは、可愛らしい少女でもなく、豊満な裸婦像でもなく、眼鏡をかけた中年男性だったからです。**なにも、わざわざルノワールらしく**

ルノワール『ヴィルヘルム・ミュールフェルトの肖像』(1910年)
(サウサンプトン市立美術館蔵)

ない中年男性の肖像画を、贋作で描く理由がわかりません。となると、この作品は限りなく本物である可能性が高いということになります。

そこで、これはどういうことだろうかと調査を進めました。

ギャラリーにあるルノワールの膨大な資料を片っ端から調べてみると、この男性肖像画は**『ヴィルヘルム・ミュールフェルトの肖像』**という作品名で掲載されていました(上)。

しかも、現在はイギリスのサウサンプトン市立美術館に収蔵されているとあります。

これについては、ウィルデンスタイン東京の社長が、サウサンプトンまで足を運び、資料と収蔵作品が同じであることを確認していますから、間違いありません。

しかし、なぜか私たちが預かっている作品と来歴が全く同じなのが気になります。

改めて、私たちが預かった作品をよく見ると、眼鏡部分がサウサンプトンの作品とは微妙に異なっていることがわかりました。

そこで、さらに、ルノワールの研究機関でもあるパリのウィルデンスタイン財団のアーカイブを調べたところ、1920年にこの男性肖像画の作品を撮った写真が見つかったのですが、これは不思議なことに、まさに今、私たちが鑑定中の作品と同じものではありませんか!?

なぜ、酷似した絵画が2枚あるのか……。

ルノワールはモデルの依頼に応じて、同じ人物の絵を2枚描いたというのでしょうか？　真相はわかりません。

しかし、私たちに鑑定を依頼されたお客様の「偽物ではないか？」という疑いに反し、この作品は本物の鑑定結果に等しい、ウィルデンスタイン監修のルノワールのカタログ・レゾネへの掲載が決まったのでした。

この話は、後日、ＮＨＫハイビジョン特集『贋作の迷宮　闇にひそむ名画』という番組でも紹介されました。

アートディーラーのみが知る？商取引にまつわる裏話

ここからは、美術界の裏事情に通じているアートディーラーだからこそ知り得る商取引の裏話として、ウィルデンスタイン画廊の前当主ダニエル・ウィルデンスタインのエピソードをご紹介しましょう。

美術商とは基本的に秘密主義です。顧客情報はもちろん、取り扱っている作品情報などは、最上級の秘密情報。

ですので、基本的に話すことのできないエピソードばかりなのですが、ここでは、そのダニエル氏がフランスの記者とのインタヴューで語った、比較的差し支えのなさそうな部分だけを抜き出してお話ししたいと思います。

かつて売却の危機があった、ミケランジェロの『ピエタ』

まずは、バチカンのサン・ピエトロ大聖堂に収蔵されているミケランジェロ（ミケランジェロ・ブオナローティ：1475―1564）の大作『ピエタ』（左ページ）にまつわる、驚くべき実話です。

1970年代のある日、ダニエルはローマ法王の侍従であるローダン猊下《げいか》（高い位に就く聖職者の敬称）から、最近寄贈された絵画を見てみないかと誘いを受けました。

というのも、バチカンに絵画や美術品を寄贈する人々は世界各国に多数おり、バチカンではそれらを売って貧しい人のために役立てるため、ダニエルは、ローマ教会の美術品の管理責任者でもあるローダン猊下から、よく相談を受けていたのです。

ローマに赴いたダニエルは、寄贈された絵画を見た後、当時のローマ法王パウロ6世に謁見することになりました。

そこで、法王から直々に、驚くべきある相談を受けたのです。

ミケランジェロ『ピエタ』(1498－1500年)

法王は第三世界の貧困に心を痛めていたのですが、バチカンは飢えて死んでいく人々に手を差し伸べず、栄華を誇っているようなイメージを与えていることが耐え難い。教会が貧しい人々にすべてを捧げる覚悟があることを示すために、ダニエルに売ってほしい作品がある、と。

その作品とは何かを聞いて、ダニエルは人生最大のショックを受けます。

それは、死せるキリストを抱いたマリアをモチーフとしたミケランジェロの究極の傑作、『**ピエタ**』でした。

ダニエルは、あまりのショックに言葉を失いそうになりながらも、なんとか「私にはできません」と伝え、辞退します。

それは、当然でしょう。『ピエタ』を売るということは、フランス政府がダ・ヴィンチの『モナ・リザ』を売るということと同じぐらいショッキングなことです。決してあってはならないことです。

しかし、法王の苦悩も充分に伝わってきます。そこで翌日、法王の別荘に招かれたダニエルは、法王の気持ちを汲んで、ある提案をしました。

「売るのではなく、世界中を巡回する展覧会を企画してはどうでしょうか」と。

バチカンはダ・ヴィンチやミケランジェロ、ラファエロなどの教会に飾られている作品群のほかに、それらにまつわる膨大なデッサンも所蔵しています。

それらを絵画や彫刻作品とともに展示すれば、大規模なバチカンの巡回展ができ、それらの収益によって多くの人々を救うことができるのではないかと提案したのです。

法王はそのアイデアに興味を持ち、どの国から始めるべきかをダニエルに聞きました。

ダニエルは「日本がいいでしょう。素晴らしい友人がおりますから」と即答しました。法王も快諾し、ダニエルはその後、3回もバチカンに赴き、計画は順調に進んでいたかに見えました。

しかし、最終的に展覧会は実現しませんでした。

1978年に法王が亡くなり、後継の法王は展覧会に関心を示さなかったために、計画のすべてがご破算になったのです。

パウロ6世がもう少し長生きしていれば、『ピエタ』の巡回展は日本から始まったはずです。それは、1974年の『モナ・リザ』の来日展と並ぶほどの、極めてセンセーショナルな出来事として、人々の記憶に刻まれたことでしょう。

そしてまた、展覧会の収益金は、莫大なものになっていたに違いないのです。

画商ハワード・ヤングとあのハリウッド女優との関係とは？

画商には個性的な人々が多いものですが、そのぶん、思いもよらない秘話の持ち主がいるものです。

ダニエル・ウィルデンスタインによれば、画商の**ハワード・ヤング**もそのひとり。一体、どのような秘密を持っていたのか、ここだけの話として披露したいと思います。

ハワード・ヤングは、ニューヨークのマジソンアベニューとパークアベニューの角にある建物の2階に住み、ウィンスロー・ホーマー、ウィリアム・メリット・チェイス、ジョン・ジェームズ・オーデュボンといった19世紀のアメリカ絵画や18世紀のイギリス絵画を扱っていました。
ヤングのオフィスに入れるのはごく限られた人物だけで、ダニエルとその父親はそうした限られた人間だったそうです。

体格がよく意志の強そうな顔つきをしたヤングには、テイラーという甥がおり、1920年代にはこの甥がロンドンにあるヤングの画廊を任されていました。

テイラーには息をのむほど美しい妻がいたそうですが、ヤングはテイラーを1年の半分はカリフォルニアに出張させていました。

そうこうしている間に、その妻はイギリスで女の子を出産しました。エリザベスと名付けられたその娘は、そう、お察しの通り、あの大女優**エリザベス・テイラー**（1932―2011）です。

ダニエルらがヤングのオフィスを訪れるようになった頃には、エリザベス・テイラーはすでにハリウッドのスターとなっていて、ヤングはオフィス中に彼女の写真を飾っていました。

ヤングが彼女のことを話すときは、まるでラブソングでも歌うような調子で、ハリウッド女優という輝かしいキャリアや華やかな生活を送るエリザベスが自慢でならない様子だったそうです。

その頃、ヤングはもう絵を仕入れることもなく、ストックを処分している状態でした。そのことについて、こう説明したそうです。

「私もいずれは死にますからね。財産は可愛いエリザベスに残してやりたいんですよ。娘同然のあの子に……」


その後、ダニエルはエリザベス・テイラーに会う機会に恵まれます。彼女は聡明で優しく、絵画についての造詣も深い、素晴らしい女性という印象を受けたのだとか。

ただ、ハワード・ヤングとのことについては、あまりにもデリケートなことなので、聞く勇気はなかったということです。


お話はここまでです。真相は、みなさんのご想像にお任せすることにしましょう。

モネが、ジヴェルニーに2億円もの豪邸を買えた理由

さて、次のお話はモネの研究から判明したものです。

フランス・ノルマンディー地方の**ジヴェルニー**は、印象派の巨匠モネが半生を過ごした場所です。

モネは、1883年頃からこの地に住み始め、1891年頃に**それまで借りていた家と広大な土地を購入**しました。そして、庭園の造園に取り掛かり、池を作って睡蓮を植え、池の上には日本風の太鼓橋を架けました。

モネは自ら設計した美しい庭を描き続け、『**睡蓮**』の連作をはじめとする数々の傑作が生まれました。まさに、この庭園はモネにとって**創造の源泉**となったのです。

今も花咲き乱れる美しい庭やモネの家は、クロード・モネ財団の美術館として花の季節（4月～10月頃）に一般公開され、訪れる人々を魅了しています。

ところで、突然現実的な話になりますが、モネはジヴェルニーの家と土地を、一体

幾らで購入したのでしょうか。

答えは、現在の価値に換算して、約2億円はくだらないだろう、とのこと。

モネをはじめとした、印象派の絵が高騰するのは1900年に入ってからですので、モネが家を購入した1891年あたりはさほど高値では売れていない時代でした。

では、モネはその莫大な金額を、どのようにして工面したのでしょうか。

実は、一般にはほとんど知られていない話ですが、どうやらモネは**株取引**で稼いでいた形跡があります。


ウィルデンスタインではモネのカタログ・レゾネを作成していますが、これをつくる際には、**モネにまつわるあらゆる情報を収集**します。

たとえば、いつどこでその絵が描かれたのかを確認するために、**ホテル、レストラン、列車などの領収書をすべて集める**のは当たり前。最終的に遺品の数は数十万点にも及び、カタログ・レゾネの完成までに50年の歳月を要していますが、その収集の過程で株取引の明細書が出てきました。

ゴーギャンが、画家になる前に株式仲買人の仕事をしていたことはよく知られてい

フランス・ジヴェルニーにあるモネの邸宅(上)と、広大な敷地に造園した「睡蓮」の池(下)

ますが、モネの株取引の明細書によると、そのゴーギャンよりも儲かっていたとのこと。モネは株取引の売却益で、ジヴェルニーの豪邸を手に入れたのではないかと推測できます。モネは、芸術家だけではなく、有能な投資家としての一面も持っていたのかもしれません。

画商デュヴィーンがしかけた『ブルーボーイ』をめぐる大博打《おおばくち》

ところでみなさん、西洋美術の歴史にはイタリアやフランス、オランダ、ベルギー、スペインといった国の作家名はよく登場しますが、イギリス人作家の名前がなかなか出てこない、ということにお気づきでしょうか。

実は、生粋《きっすい》のイギリス人作家が西洋美術史に登場するのは、18世紀に入ってからになります。その作家とは、ロココ時代にイタリア絵画を研究し、イギリス・ロイヤル・アカデミーの初代会長を務めた**ジョシュア・レイノルズ**（1723―1792）。次に登場する重要な作家は、レイノルズのよきライバルでありロイヤル・アカデミーの創業メンバーであった**トマス・ゲインズバラ**（1727―1788）です。

このゲインズバラが描いた『**青衣の少年**』**（通称、ブルーボーイ）**（２４３ページ）は、20世紀初頭まではとても有名な作品でしたが、時代とともに埋もれていった傑作のひとつ。現在、この作品が見られるのは、ロサンゼルスから車で20分ほどの場所にあるパサデナの「**ハンティントン・ライブラリー**」ですが、イギリス絵画史にとって、最も重要なこの作品が、今はなぜアメリカにあるのでしょうか。

その答えは、ひとりのアートディーラーとコレクターとの取引物語に委ねましょう。

時は19世紀。『ブルーボーイ』はもともとイギリスのウェストミンスター公爵が所有していた作品で、ロンドンにある公爵の邸宅、グロヴナーハウス（現在はホテル）に掛けられていました。

ウェストミンスター公の友人であったアメリカ・ボストンの大コレクター、**イザベラ・スチュワート・ガードナー**はこのグロヴナーハウスに招かれたとき、『ブルーボーイ』をひと目見て、一瞬で心を奪われたそうです。

イザベラ・スチュワート・ガードナーといえば、本章（２０５ページ）でも触れている**ジャック・ガードナー**の妻、ガードナー夫人であり、イタリア絵画の権威であるベレンソンがまだ学生だった頃に彼の才能を見抜いて援助した人物です。

後にベレンソンは、アートにおいても優れた審美眼と嗅覚の持ち主であったガードナー夫人の美術顧問を務めつつ、そのほかにも数人の画商とも顧問契約を結んでいました。そのうちのひとりが、当時ダニエル・ウィルデンスタインとともに大画商の名声をほしいままにしていた、**ジョセフ・デュヴィーン**でした。

1920年、懐事情が淋しくなったウェストミンスター公から絵画を手放したいと告げられたベレンソンは、以前から『ブルーボーイ』に興味を示していたガードナー夫人にそのことを伝え、そこでいったんは売買が成立しました。

しかし、この時ガードナー夫人はティツィアーノの傑作を購入したばかり。さすがに高額な作品を2点同時に購入することに躊躇し、仕方なく『ブルーボーイ』の購入は取りやめる意思を伝え、書類をベレンソンに送ることにしました。

このいきさつをベレンソンから聞いたデュヴィーンは、自分の顧客にちょうどイギリス絵画に興味を抱き始めた人物がいることに思い当たり、『ブルーボーイ』をすす

ゲインズバラ『青衣の少年』(1770年頃)

めることにしました。その顧客とは、鉄道王として巨万の富を築き上げたアメリカの実業家ヘンリー・E・ハンティントンです。

その年の夏のこと。ハンティントン夫妻の旅の道連れとしてデュヴィーンは豪華客船アキタニア号に乗り込み、イギリスに向けてニューヨークを出航しました。ハンティントン夫妻が泊まった部屋の名前は「ゲインズバラ・スイート」。巨匠の模写がいたるところに掛けられた部屋でした。

ある晩、夫妻の晩餐会に招かれたデュヴィーンは、ヘンリーがダイニングルームに掛けられた絵画に興味を持ち始めていることに気づきました。

間もなく、ヘンリーは「あの青い服を着た少年は誰かね？」と切り出し、デュヴィーンはイギリスで最も偉大な芸術家ゲインズバラの作品『ブルーボーイ』の模写であると答えます。ここからデュヴィーンの駆け引きが始まりました。

「本物はどこにあるんだい？」

「作品はウェストミンスター公爵のコレクションで、公爵の邸宅であるグロヴナーハウスに掛かっています」

「幾らするのかね？」

デュヴィーンは

「おそらく、いくら積んでも公爵は売らないと思いますよ」

と答えつつ、

「しかし、もしイギリスの大巨匠のこの傑作をコレクションに加えられたら、どのようなコレクションもその華やかさに太刀打ちできないでしょうね」

とヘンリーの心を揺さぶることを忘れませんでした。

一度はあきらめかけたヘンリーでしたが、デュヴィーンの最後の言葉に再び所有欲をかき立てられてしまいました。

「仮に売りに出されたら、幾らぐらいになると思うかね？」

とたずねてきます。

そこで、ためらうふうを装いつつも、デュヴィーンが答えたのは
「**60万ドル程度かと**」

という価格でした。

それは、ヘンリーがそれまで購入した絵画の価格をはるかに上回る金額でしたが、ヘンリーは、

「**これほどの作品なら喜んで払う気になれそうだ**」

と答えたのです。


取引が成立したも同然と気分をよくしたデュヴィーンは、サウサンプトンに到着するや否や、早速ウェストミンスター公と面会して商談をまとめ、ヘンリーには「**奇跡が起きて『ブルーボーイ』が売りに出された**」と電話で伝えました。

大金の準備に2週間欲しいとヘンリーから要請を受けたデュヴィーンは、ベレンソンに契約の成立を伝えます。

すると、なんと彼から驚くべき言葉を聞くのです。

上：カリフォルニア・パサデナにある「ハンティントン・ライブラリー」の外観
下：名画『ブルーボーイ（青衣の少年）』が掲げられている展示スペース

いったんは購入をあきらめたガードナー夫人が「やはり欲しい」と言い出し、購入を取りやめる旨の書類を送ってこないと言うのです。

つまり、**購入の権利は依然としてガードナー夫人側にある**というのでした。

慌てたベレンソンはガードナー夫人に電報で書類の送付を催促しましたが、ガードナー夫人はそれを渋り、結局その書類が届いたのはヘンリーからの送金を受け取った前日、まさにギリギリのタイミングだったのでした。

60万ドルといえば現在の為替でも6000万円という大金。それが1920年代ともなれば、今の価値に換算すると**100億円**ぐらいだったかもしれません。

心臓の縮むようなこのきわどい取引によって、『ブルーボーイ』はパサデナのヘンリーのもとへと渡りました。

今から15年ほど前になりますが、私もハンティントン・ライブラリーを訪れ、この『ブルーボーイ』と対面したことがあります。

目を閉じてこのエピソードを思い返しながら、ゆっくりと想像を広げると、頭の中で当時の話し声が聞こえてくるようです。

そして、ゆっくりと目を開くと、タイムスリップしたかのように傑作『ブルーボーイ』が目の前に現れるという、なんとも不思議な感覚を楽しみました。

美しい日本庭園と素晴らしい蔵書や絵画を有するハンティントン・ライブラリー。カリフォルニアに行く機会がありましたら、ぜひおすすめしたい美術館です。

Column 4

江戸っ子騒然!? 歌川広重が報じた一大スクープとは?

政治家や芸能人のスキャンダルを次々と暴き、何かと世間を騒がせている週刊誌のスクープ記事。

実は、世界的に有名な浮世絵師、歌川広重《うたがわひろしげ》の浮世絵の中に、現代のスクープ写真を思わせるような作品があることをご存じでしょうか。

その作品とは、**『名所江戸百景』**シリーズの中のある一枚。

江戸の風景を描いた『名所江戸百景』は広重の最晩年の連作浮世絵ですが、斬新な構図や高度な多版刷りの技術など、非常に高い完成度で江戸の人々を魅了しただけでなく、かのゴッホがこのシリーズの中の作品を模写するなど、海を越えて多くの芸術家に多大な影響を与えた傑作です。

そんな『名所江戸百景』の中でも、ひときわ異質な魅力を放つのが、**『浅草田圃酉《あさくさたんぼとり》の町詣《まちもうで》』**（253ページ）。

浅草田甫は、1657年に起きた江戸時代最大の火災「明暦《めいれき》の大火《たいか》」で炎上し、移転した吉原の周辺に広がっていた水田地帯。

描かれているのは吉原の遊女の居室で、窓の格子越しに田んぼのあぜ道を縁起物の熊手を持って歩く人の行列が見えます（※1）。人々は、近くの鷲《おおとり》神社で毎年11月に行われる酉《とり》の市に行き、そこから帰るところなのでしょう。

居室の主である遊女も客とともに酉の市に出かけ、かんざしを買ってもらった様子がうかがえます。

左手には美しい夕日を背景に、雪をかぶった富士山と鳥の群れ。江戸の初冬を描いた情緒あふれる作品です——。

と、ここまでは、どこにでもある解説です。

しかし、もっと読み解くと、**特ダネ**が見えてくるのです。

まず、背中を丸めた窓辺の猫ですが、よく見ると**不機嫌な顔**をしていることがわかります（※2）。猫は寒さが苦手なので、開け放たれた窓から11月の冷たい風が入ってくることに腹を立てているのでしょう。

そして、床に置かれたかんざしのひとつに目を凝らすと、男性を意味する「まつたけ」と女性を意味する「おかめ」が重なるように描かれたモチーフ。さらにかんざしの向こうには御事紙《おんことがみ》、今で言うティッシュがのぞいています（※3）。

つまり、**屏風の陰では遊女が営業中**で、障子を開けて外気を取り入れたいほどに火照ったり、汗ばんだりしているということを伝えている1枚だということです。

さて、その相手は誰なのか。

それが、この浮世絵から判明してしまうところが、一大スクープなのです。

窓辺の手ぬぐいを見てください（※4）。当時、旦那衆は手ぬぐいに独自の紋様や家紋を染め抜いていたので、この**紋様から持ち主がわかってしまう**のです。

しかも、室内から見える富士山の位置によって、ここはどの遊女の居室なのかも見当がつきます。

当時の遊び人の旦那であれば、この1枚の浮世絵にちりばめられた情報から、**誰と誰がいつ、ここにいたのかがわかる仕掛けになっている**というわけです。

広重の粋な遊び心がにじむ、洒落のきいた作品ですね。

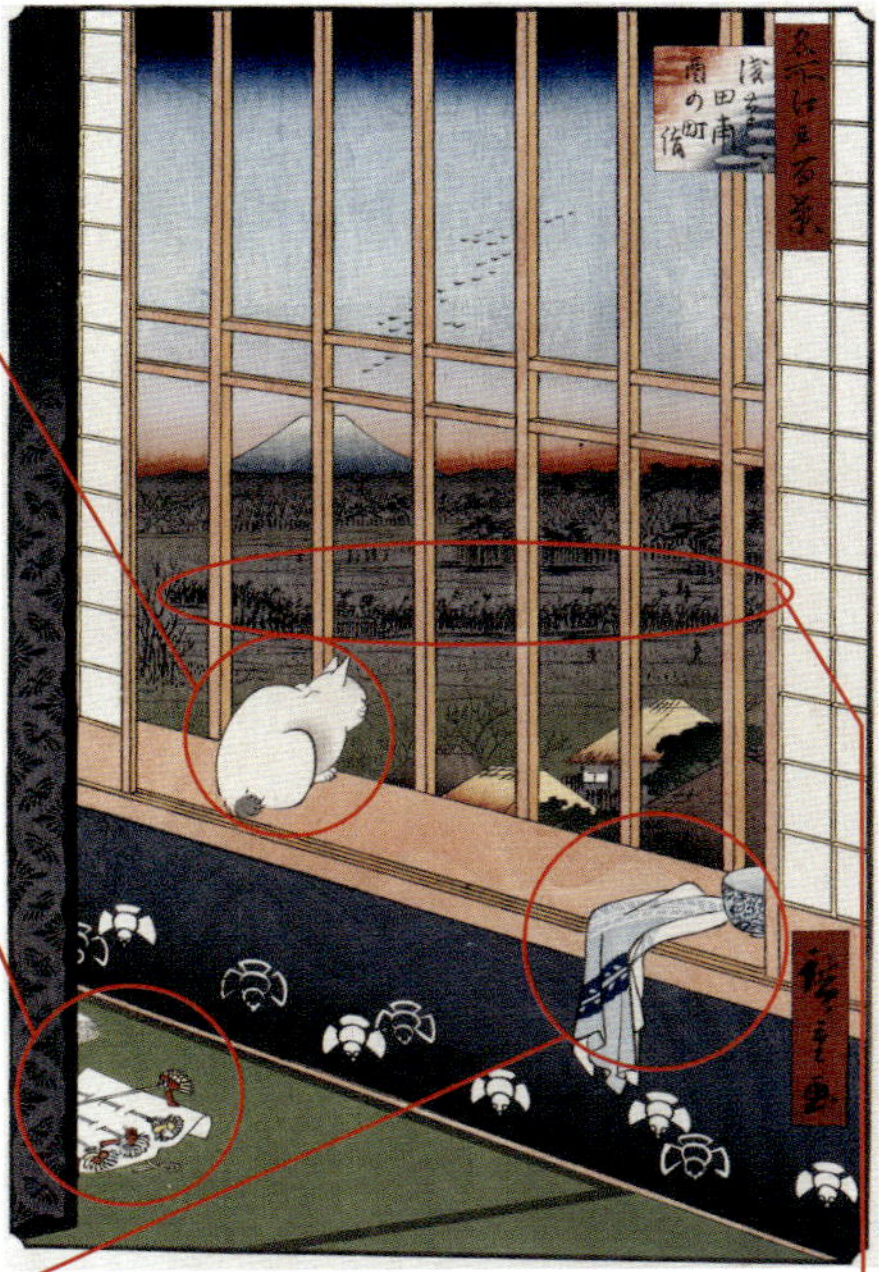

《名所江戸百景》『浅草田甫酉の町詣』(1856-58)

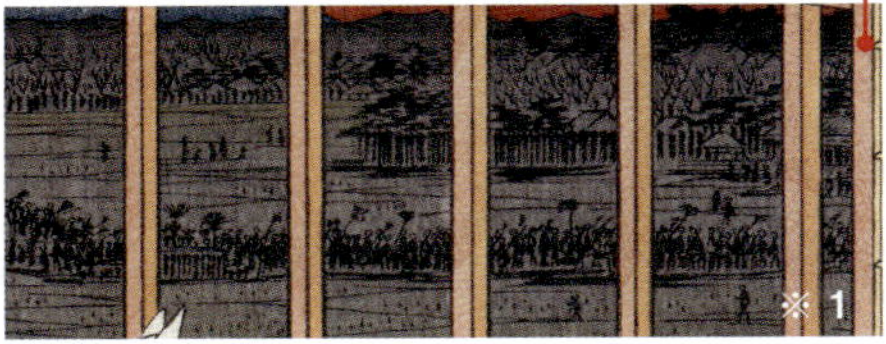

東京・大田区にある「ART《アート》 FACTORY《ファクトリー》 城南島」には、この『名所江戸百景　浅草田甫酉の町詣』をはじめとした浮世絵41点がデジタル化され、800倍に拡大された作品が展示されています（入場無料）。

みなさんも、ぜひ一度「ART《アート》 FACTORY《ファクトリー》 城南島」を訪ねてみてはいかがでしょうか？

細部に目を凝らせば、広重がちりばめたシ洒落のきいた情報が読み取れることでしょう。

第5章

百円台から数百億円まで多彩な魅力「アートをもっと身近に楽しもう!」

「鑑賞」だけではもう古い!?「所有」してこそ感性が磨かれる

感動や刺激、学び、教養、癒やし、発見……。様々なものを求めて、多くの人々が美術館に足を運びます。

日本政府発表の統計データによると、全国の主要美術館博物館（429館）の入館者数は延べ**3066万人**（平成26年度）。乳幼児も含め**全国民の4人に1人が年に一度は展覧会に訪れている**計算になります。

この数字からも、日本人はアートに対する関心がとても高いことがわかります。

「鑑賞」する日本、「資産」や「投資対象」として捉える海外

そんな日本人のアートとの付き合い方は**鑑賞が基本**。私的な楽しみや趣味として捉

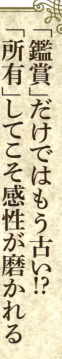

える人が多く、**アートとお金を結びつけることを好まない傾向**にあります。

一方、海外に目を向けてみると、欧米ではアートは**資産として価値があるもの**という考え方が強いですし、中国や中東はよりクールにアートを**投資対象**と見ています。

アートに対する価値観は、国によってかなりの違いがあるわけです。

なぜ、絵画の値段は史上最高値を更新し続けるのか？

アート産業の年間市場規模を見ると、**日本国内では３３４１億円**（一般社団法人アート東京のレポート『日本のアート産業に関する市場調査２０１６』より）と推計されます。これに対して**世界のアート市場規模は約７兆円**にも上ります。

この金額の大きさは、あまりピンとこないかもしれませんが、たとえば音楽メディア（ＣＤ、ＤＶＤ、ダウンロード、ストリーミング等）における世界市場が約1・6兆円（国際レコード・ビデオ製作者連盟「２０１５年度レポート」より）という数字と比較していただくと、世界のアート市場がいかに大きいかがご理解いただけるかと思います。

しかも、世界のアート市場は拡大傾向にあり、2015年に史上最高額の約355億円で取引されたポール・ゴーギャンの傑作**『いつ結婚するの』**（左ページ）をはじめ、300億円を超える作品の取引は公表されているだけでも3点も存在します。また、市場に売りに出されたら100億円を超えるだろうと考えられている作品は、わかっているだけで現在**約80**点はあるといわれています。

世界の巨匠が描いたマスターピース（傑作）が高騰する背景には様々な要因がありますが、もっとも大きな要因は、**新たに生まれる富裕層の増加に対し、マスターピースの数が絶対的に少なく、需要と供給のバランスが崩れていること**です。

例えば、若くして亡くなったモディリアーニは油彩画を200点ほどしか制作していませんし、86歳と長寿だったモネでさえも、制作した油彩画は2000点ほどです。これらの多くの作品はすでに美術館に収蔵されており、市場に残っているのはコレクターの手元にある作品のみとなりますから、**巨匠の作品はつねに枯渇状態**にあるわけです。

ゴーギャン『いつ結婚するの』(1892年)

そして、もうひとつの要因が**寄贈の文化**です。欧米の美術館は作品の寄贈により大きくなってきました。

コレクターが作品を寄贈すれば、その分、商品が市場からなくなるわけです。それが現役の作家でなければ、さらなる供給はありません。そのようにして、どんどん作品が美術館に寄贈され、市場からなくなっていきました。

その結果、市場に出ると途方もない金額がつくようになったというわけです。

「現代アート」人気は必然だった！

そこで、近年、世界中から脚光を浴びているのが**「現代アート」**です。

とくに、若い富裕層は現代アートに注目し、気軽に作品が購入できる**アートフェア**に足を運んでいます。アートフェアとは世界中のギャラリーが参加する展示即売会で、世界で100以上のアートフェアがあり、一年中、地球上のどこかで開催されているような状況です。

なかでも、最大のフェアが**「アート・バーゼル」**です。1970年にスイスのバーゼルから始まったこのフェアは、現在アメリカのマイアミと香港でも毎年開催されています。2013年から始まった「アート・バーゼル香港」は、主催者が選び抜いた240超のギャラリーが参加し、開催期間の5日間で8万人もの来場者が詰めかけるなど、近年、大変な盛り上がりを見せています（2017年3月開催）。

国内でも、現代アートの人気は高まりつつあります。

昨今は、数万円から数十万円といった作品を購入し、数十年後にその中の何点かが桁違いで値上がりしたことで、ひと財産を築いたというサラリーマン・コレクターも現れるようになりました。

彼らは何十年も前から、当時なかなか芽が出ていなかった若手作家の作品を購入することで、作家を支えてこられた方々です。今日では、現代アートをいかに楽しむかを伝える「広報活動」に力を注いでいる〝伝道師〟のような方もいます。

通常、アートを収集するコレクターというと〝富豪〟というイメージがありますが、現代アートであれば、自分のお財布と相談しながら気に入った作品を購入することができるのです。

世界の動きから遅れを見せていた日本も、昨今ようやく「アートは美術館で楽しむもの」から「自宅で楽しむもの」に変わりつつあります。

アートを購入し、所有することで、日常的にお気に入りの作品を楽しむことができ、**人生に活力と潤い**が生まれますし、**いずれ大きな資産になるかもしれないという期待感**も持てる。さらに、アートを買うことで、**作家を応援するというパトロン的な喜び**も味わえます。

また、お子さんを育てている家庭では情操教育の一環にもなります。

もし、小さいうちからアートが当たり前のように家にある環境で子供を育てることができたなら、それだけで、その子の感性の育まれ方には大きな違いが表れるはずです。

アートを所有するということは、美術館で鑑賞するだけでは得られない刺激があります。自身の「感性」を磨きつつ、大きな「夢」を手に入れることでもあるのです。

経営者は、アートを買って社会に富を還元する

2017年5月、アパレルの通販サイト「ZOZOTOWN《ゾゾタウン》」を運営するスタートトゥデイの前澤友作社長が、サザビーズ・ニューヨークのオークションで**ジャン＝ミシェル・バスキア**（1960－1988）の作品を**約123億円で落札**しました。これは、予想落札価格をはるかに上回る価格となり、バスキア作品のオークション最高額を記録しました。

2016年にもバスキアの作品を62億円で落札していた前澤氏は、将来的に、千葉県に美術館を建設し、収集したアートコレクションを展示することを公表しています。

前澤社長の例に限らず、昔から日本を代表する企業の中には美術館を有するところが数多くあります。

すなわち、経営者にはアート好きが少なくない、というわけですが、それはなぜなのでしょうか。勝手ながら、私なりの推察を述べたいと思います。

経営者というのは、もともと「人好き」な人が多いのではないでしょうか。人が好きということが根底にあるからこそ、人のためになるようなシステムや組織をつくり、会社を運営していくことで成長していくわけです。

このように、経営者には利他的な人が多い上に、会社経営においては様々な波があり、**人の弱さや痛みを知る機会も多く、人生経験の厚みも増す**。すると、人としての振れ幅が大きくなり、**感受性も豊か**になります。

だからこそ、**アートの魅力がわかる**のだと思います。

私は本書の冒頭で、巨匠ドラクロワの言葉を引きながら「絵画とは、作家の魂と見る人の魂との間に架けられた、一本の橋である」と述べ、**見る側にも人としての経験値や感受性が必要**だと説きました。

経営者は資質としてそれらを備えている場合が多いため、アートにのめりこむ人が続出するのです。

また、アメリカをはじめとした海外でもそうですが、経営者は自分が得た富を**社会に還元**したり、**人々と共有する**ことに喜びを感じる人も多くいます。

一般の人にとって、大抵のものはお金で買えても、高額な巨匠のアート作品はなかなか手が出せるものではありません。
だからこそ、経営者たちは自身の理念のもと、率先して数少ない巨匠の作品を購入し、世界の芸術文化の最先端を少しでも楽しんでほしいという思いで、公開展示するための美術館を建てるのでしょう。

社会への還元方法は美術品の購入・公開だけではありませんが、このように富を社会に還元したいと願う経営者のもとには、自然と人が集まり、**豊かな企業文化が形成**されていきます。「アートの魅力」がわかる経営者には、このリーダーについていきたい、と思わせる**「人の魅力」が宿る**ようになるのだと思います。

本物のアートを自宅に飾ると、落ち着きと趣が生まれる

私は今の家に引っ越すまで、長らくマンションに住んでいたのですが、たとえそれが分譲物件であっても、なぜか〝仮住まい〟に思えて仕方がありませんでした。

その理由を考えていて、私なりのある結論にたどり着きました。

それは、日本の住宅は、細部にまでこだわった注文住宅やリフォーム物件でない限り、ハウスメーカー仕様の〝お仕着せの生活空間〟になることがほとんどだということです。それゆえに、落ち着かない気分になってしまっていたのだと思います。

さて、私はそこからどう脱したのでしょうか。

その答えは、「**本物のアートを飾る**」ことでした。

本物と暮らしてこそ、感性も磨かれる

ポスターなどではなく、一点ものの本物のアートを飾ることで、ペラペラの壁材などが用いられる日本住宅特有の無味乾燥な空間に、**落ち着きと趣**が生まれたのです。

それは、生活空間の中に**自己主張する本物**を置いたことによる効果でした。

住まいが持ち家であれば部屋の一面だけ壁紙の色を変えるだけでも、グッと印象は変わります。あえて現代風のインテリアの中に「ウイリアム・モリス」のようなイギリス・ヴィクトリア朝の雰囲気がある壁紙を貼っても面白いでしょう。

アートをいかに楽しむかは、**生活空間をいかに楽しむか**ということであり、それは同時に、**与えられた時間をどれだけ大切にできるか**ということでもあるのです。

現代の日本人はインテリアでも雑貨でも、大量生産の家具や食器、あるいは100円ショップの商品で充分と思いがちです。そのような味気ないものに囲まれた生活では感覚が麻痺し、感性が磨かれるはずがありません。それはきっと自身のビジネスに

も反映されているはずです。

自己主張するような〝本物〟と暮らしてこそ、生活の質が上がり、感受性が高まり、いいものを見極める目が養われる――私はそう信じています。

本当に美味しいものを食べないと、食材の良しあしはわからない

では、どのようなアートを飾ればいいのか。

前述のように個人がマスターピースを所有することは難しいですから、現代アートがおすすめです。

数ある中でも、本書で取り上げた**三島喜美代**（127ページ参照）の作品であれば、まだ一般の人でも手が届く価格で入手できるでしょう。

なにより、私が三島作品をすすめる理由は、作品が本物だからです。

ここでいう本物とは〝真贋〟ではなく〝次元〟の話です。

東京のあるオフィスには、**ピエール・ボナール**（1867―1947）の油彩画、

ロダンの彫刻、**ルイーズ・ネヴェルソン**（1900―1988）の彫刻と並んで、三島喜美代の作品が飾られているのですが、それらは制作年代もジャンルも異なり、およそ共通点がないにもかかわらず、なぜかしっくりと調和しています。これは、すべてが**本物**だからにほかなりません。

たとえるなら、本当に美味しいものを食べていなければ、食材の良しあしや味の判断がつかないのと同じことです。

どんなに優れた美大生の作品でも、巨匠の作品と並べるとチープに見えてしまいます。それはまだ作品が巨匠の水準に達していないからです。私が三島作品をすすめる理由は、まさにここです。言うなれば、作品が自身の「判断基準＝ものさし」になるからです。

三島作品の横に並べてどうか？　と考えることで、いい作品かそうでないかの判断がつくようになる、ということです。

1年に1点、本物のアートを買う楽しみ

このように、基準となる作品を軸に「1年に1点ずつ購入する」というのも面白い試みだと思います。

何年かたてば何点もの本物に囲まれるという楽しみが味わえるのはもちろん、気がついたらお気に入りの作家が世界で高く評価され、所有する作品が資産となる可能性もあります。

今では100億円の値がつくアンディ・ウォーホルも、初めは1点30万円ほどからスタートしたことを考えれば、決してありえない話ではないのです。

絵画購入で、絶対に外したくない3つのポイント

「アートとのお付き合いは、もっぱら美術館」という人にとって、アート作品を買うことはなかなか勇気がいることです。

しかし、私がこれからお伝えする「**購入の際の3つのコツ**」を心得ておけば、必要以上に力むことなく、気軽に購入することができるでしょう。

①「誰から買うか」で作品の信用度が変わる

まず、大事なことは「**誰から買うか**」。

第4章でもご紹介しましたが、私はこれまで、様々な怪しい作品と接してきましたし、不幸にもそうした作品をつかんでしまう人というのも見てきました。

美術界には、真面目にビジネスをしている人がいる一方、詐欺まがいのことをする怪しい人々もいます。贋作をつかんでしまう人というのは、こういう怪しい人たちから購入するケースが圧倒的に多いのです。

したがって、それを回避しなくてはならないわけですが、東京だけでも星の数ほどギャラリーがあるため、その中から信頼でき、なおかつ自分好みの作品を扱っているところを探すのは至難の業です。

一番安心でき、効率がいいのは、多数のギャラリーが一堂に会する「アートフェア」に行き、気になる作品があったらそのギャラリーのオーナーと話をしてみることです。そこで、オーナーの人柄や自分との相性、扱っている作家などを確かめるとよいでしょう。このとき、できれば、ひとつのギャラリーだけでなく、何カ所かのオーナーと話をしてみるのもポイントです。

このようにしてお気に入りのギャラリーをいくつか見つけられれば、自分の好みの作家や作品を見つけやすくなると思います。

②「何を買うか」は目的別に考える

誰から買うかが決まったら、次に大事なのは「**何を買うか**」です。

その際に、大切なのは**購入の目的を明確にする**ということ。

購入初心者にありがちなのが、何を買おうか考えたときに、「自分好みの作品で、その作家にも将来性があって、いずれは高値で売れて……」と、あれもこれもと条件を上乗せしてしまうこと。それでは永遠に買いたい作品と出合うことは難しいでしょう。というのも、目的によって購入する作品は180度、変わってくるからです。

まずは、自分が好き、自宅に飾りたいといった**趣味が目的**なのか、値上がりを期待する**投資目的**なのか、あるいは若手作家を育てる**支援目的**なのか、といった目的をはっきりさせておくことが重要です。

そして、ギャラリーのオーナーに自分の希望を伝えて相談すれば、それに合わせて今後が楽しみな成長株の作家や、すでに世界にマーケットがあり、値上がりしそうな作家などをすすめてくれるはずです。

購入することに慣れてきたら、資産のポートフォリオのように、アートのポートフォリオを組むのもおすすめです。

たとえば、すべてが投資用の作品では選ぶ範囲が狭まり、高額にもなります。かといって、自分の趣味のものだけを購入し、気づいてみれば二束三文の山だったというのでは面白くありません。

趣味、投資、作家支援といった目的をバランスよく組み合わせて購入すれば、楽しさが広がるようなコレクションづくりができると思います。

購入を決断する5つのポイント

現代アートは目利きが難しいと思われがちですが、私は世界的に有名な作家には、ジャンルを問わず、共通点があると思っています。

特別にご紹介しましょう。

1点目は、**西洋美術史の流れを汲んでいること。**
2点目は、**その美術史の枝葉の最先端にいること。**
3点目は、**ユニークであり、ひと目で誰の作品かわかること。**
4点目は、**軸となるコンセプトがしっかりとあること。**
5点目は、**人の心に感動を与える力があること。**

すなわち、今はまだ若手の無名な作家でも、この5つのポイントを満たしていれば、間違いなく将来有望な作家だと言いきっていいと思います。あとは作家の運次第です。

みなさんが現代アートの購入に迷ったら、これらのポイントを念頭に置いて、お気に入りを探してみるといいでしょう。

③「鑑定書」の確認もお忘れなく！

現在、作家が生存中の現代アートであれば、贋作の心配はあまりしなくてもいいでしょう。現代アートの場合、そのほとんどは作家とギャラリーとが直接契約を結んでいるからです。贋作や怪しい作品というのは、古い年代の作品の場合に流通する可能性が高くなります。

とはいえ、現代アートを購入する際には、いつか手放すことも考えて、売り手に**鑑定書や証明書があるかどうかを確認**することをお勧めします。

もし、それらがないといわれた場合は、怖ければ手を出さずにおくのが賢明です。ただ、本物でも鑑定書や証明書がない場合もありますので、そのときは「**売りたくなったらどうすればいいか**」を聞いてみることです。その質問に対して、明快な答えが返ってきて、それに納得できるようであれば購入に踏み切ってもいいと思います。

また、本物か偽物かを見分けるには、本書でも度々登場した「カタログ・レゾネ」が役立ちます。これに載っていれば、作家にもよりますが証明書は必要ありません。ただ、カタログ・レゾネがつくられているのは、かなり著名な作家のみです。

日本の物故《ぶっこ》作家であれば、対象となる作家のみではありますが、**東京美術倶楽部**が作品を鑑定し、鑑定書を発行してくれます（有料）。

鑑定書から少し話が逸《そ》れますが、私たちアートディーラーはその作品の価値を左右することになる修復状態も確認します。

部屋を真っ暗にして、作品にブラックライトを当てるのですが、こうすると修復した箇所が黒っぽく浮かび上がってきます。その部分だけ絵の具の質が異なっているからです。

古い作品であればあるほど、ある程度の修復は仕方ないのですが、それが広範囲だったり、顔や目に修復があるとオークションに出しても高値は期待できません。

私たちは、こうして調べた情報をもとに、修復家に作品の「コンディション・レポート」の発行を依頼します。

作品を販売するときは、通常このコンディション・レポートは添えませんが、お客様に求められればお渡しすることもあります。古い名画を購入するような場合は、このレポートを請求してみるのもいいかもしれません。

初心者でも大丈夫！オークションを利用してみよう

アートを購入する方法としては、美術品を公開の場で競り合い、最高値をつけた人が落札できる**オークション**を活用するという方法もあります。

オークションと聞くと高額取引が主でハードルが高く、一般人は参加できないイメージを抱きがちですが、そんなことはありません。誰にでも開かれた場で、作品によっては数万円で落札できるものもありますから、アートの相場を知るためにも一度のぞいてみてはいかがでしょうか。

おすすめの日本のオークション会社5選

ここ数年、国内のオークション会社も増え、日本でもアート・オークションが盛り上がりを見せていますので、参加するには絶好のタイミングでもあります。
そこで、日本の主なオークション会社をご紹介しましょう。

・**シンワアートオークション**：国内唯一の上場しているオークション会社。横山大観《よこやまたいかん》や平山郁夫といった日本画家、梅原龍三郎《うめはらりゅうざぶろう》など国内外の大家に強く、茶道具や宝飾品など名品を多く手掛ける。

・**毎日オークション**：年間30回以上のオークションを開催。1回のオークションの出品作品は平均1200点で、作品のバラエティも豊富。絵画から工芸品、玩具、食器、宝飾品など何でも登場するため、宝探し感覚で楽しめる。

・**SBIアートオークション**：現代アートに特化。作品のセンスがよく、現代アートのコレクションを始めるには最適。今、注目のオークション会社。

・**iアートオークション**：近代絵画や陶磁器、古美術、中国美術、宝飾品などをまんべんなく取り扱うオークション会社。現代アートより近代絵画にやや強い。参加者は昔からのコレクターが多いので、品がいいのも特徴。

・**マレットオークション**：近年、現代アートに力を入れ始めているオークション会社。日本と西洋の作品を扱っており、掘り出しものが出てくることもあるので、海外のコレクターにも人気。

オークション会社はそれぞれカラーが異なるため、まずは、自分に合ったオークション会社を見つけるところから始めるといいと思います。

ますます便利に、手軽になってきたオークション

オークションに参加するには、事前に各社のウェブサイトやカタログで出品作品を確認し、お気に入りを探したら、**参加登録**をしてオークション開催前に行われる**下見会**で実物の状態を確かめます。予想落札額を参考にして、予め入札額を決めておきま

サザビーズでムンクの『叫び』がオークションにかけられる様子（2012年）

しょう。このとき、**落札手数料や消費税を含めて予算を立てる**ことをお忘れなく。

オークションへの参加は会場での**パドル**（番号札）**提示**で競り合うことが基本となりますが、**電話や書面、オンラインで入札**できるオークションもあります。

昨今では、世界二大オークション会社の**クリスティーズ**や**サザビーズ**でも、ネットでライブ中継され、オンラインで購入できるようになりました。富裕層をターゲットとした、高額取引がメインですが、比較的安い価格帯のみのセールも頻繁に開催しています。日本にいながら、気軽に参加・落札もできるので、一度のぞいてみるのも楽しいと思います。

どんどん身近になっているアートオークション。みなさんも、めくるめく華やかな世界を体験してみてはいかがでしょうか？

華麗な来歴は魅力ある作品の証し

アート作品の市場価格というのは様々な要素から決まるものですが、そのうちの一つに「**来歴**」というものがあります。

来歴とは、**その作品が作家の手を離れてからどのように売買され、どんな展覧会に出品され、誰が所有し、今に至っているのかといった足跡の記録**です。

古い作品にはすべて、この来歴があるわけですが、美術館などでは知ることはできません。購入するときに、その作品に「オリジン」というものが付いてきて、その情報の中に来歴があり、以前の所有者などがわかるのです。

たとえば、王侯貴族や大富豪や有名人などの所有歴があるような由緒正しい作品は、そのぶん価値が高くなります。

私が出合った華麗な来歴を持つ作品をご紹介しましょう。

「誰が所有していたか」も作品の価値に影響する!?

その作品の生みの親は、イタリアの印象派の作家、**ジョヴァンニ・ボルディーニ**（1842―1931）です。1872年にフランスに移住後、瞬く間にパリの芸術界や社交界で評判となり、1880年代には肖像画家として名声を得ました。

その人気ぶりは、当時**ボルディーニに肖像画を描いてもらわないと社交界デビューできない**とまでいわれたほどです。

たまたま、そんなボルディーニが描いたある作品の来歴を見る機会に恵まれました。この作品は個人コレクションということもあり、あまり有名ではないのですが、ジャポニスムの香りが漂うとても優雅な作品で、間違いなく傑作といえます。

その来歴を見てみると、以前所有していたのは**ジェームズ・ゴードン・ベネット・ジュニア**（1841―1918）となっていました。

ジェームズ・ゴードンは、20代で父親の事業を引き継ぎ、当時の大新聞、ニューヨーク・ヘラルド紙の社主となったアメリカの大富豪です。

彼は商才に長けており、自ら国際自動車レースやヨットレースなどを開催して、スポーツの話題をつくり出しては、それらを注目のニュースとしてヘラルド紙に載せ、部数を大きく伸ばしたという豪快な人物でした。

それだけではありません。

自らもその自動車レースに出たり、気球や飛行機を所有したりと、非常に遊びが好きな人物で、生涯で遊びに使った金額は今の金額に換算すると1兆円に上るともいわれています。

そんな**遊びを知り尽くした豪傑が所有していたことを知ってから、改めて作品を見ると、全く違った見え方がする**ものです。
そこに描かれるのは、大きなお屋敷の素敵なタピスリーが飾られた一室。置かれたカウチにもたれかかりながら、昼寝から目を覚ましたのでしょうか。貴婦人が大きく両手を伸ばして気持ちのいい空気を吸っています。そのほどよく息の抜けた雰囲気は、遊びを知り尽くしたベネットの安らぎの呼吸とマッチしているのでしょう。その作品にベネットの佇《たたず》まいが重なるような、極上の一品でした。

このように、作品そのものだけでなく、**誰が所有していたかということも、絵画がまとう魅力になる**ことがあるのです。

さて、このニューヨーク・ヘラルドの社主であったジェームズ・ゴードン・ベネット・ジュニアですが、70歳過ぎまで未婚を通し、73歳にしてロイター通信社の創業者ジュリアス・ポール・ロイターの息子、ジョージ・デ・ロイターの未亡人であったモード・ポッターと結婚しました。この結婚によって、ロイター通信を手に入れた彼は、まさにこの時代のメディア王となったのです。

自宅がギャラリーになるプロのテクニック

アートは人生に潤いを与えてくれるものですから、お気に入りの絵画を手に入れたら、しまいこまずにぜひ自宅に飾って毎日鑑賞したいものです。

家の中のどこに飾ろうか、あれこれ考えるとワクワクしますね。

場所が決まったら、壁に掛ける作業に入るわけですが、その際にこだわりたいポイントがあります。それは、「**高さ**」です。

絵は「床上157㎝」に飾る

私は職業柄、どこに行っても飾られている絵の高さがとても気になります。ちょっとても高かったり低かったりすると猛烈に違和感を覚え、こらえきれずに先方にお断りをして、絵の高さを直してしまうことまであるほど。

するとみなさん、「断然よくなった！」とほめてくださるのです。

絵は高すぎる位置に飾ると天井に近くなって窮屈になりますし、低すぎると安っぽく見えてしまいます。このさじ加減が微妙なのですが、どうやら私の中に、「絵のベストな高さはここ」という絶対的な尺度ができ上がっているようです。

そこで、私はある時自分が何気なく飾っている自宅の絵の高さを、すべて計ってみたことがあります。

すると、すべてが「**床から絵の中心まで157㎝の高さ**」に飾られていたのです。しかし、157㎝というのは少々中途半端な気もします。そこで、155㎝や160㎝といったきりのいい高さで飾り直してもみたのですが、それではやはり違和感が残ったのでした。

天井の高い美術館ではもう少し高い位置に飾られていると思いますが、天井が低めの日本家屋では、この157㎝という数字が適正だと思います。

ただ、廊下などの狭い空間では、絵と鑑賞者との距離が近くなりますので、目線と合う150cmぐらいがふさわしくなります。

ただし、この高さはあくまでも私の主観です。天井高によるバランスや身長による多少の差もあると思いますので、今度、絵を飾る機会があれば、まずは試しに「床から絵の中心まで157cmの高さ」を基準に微調整をしてみてください。

少し高いなと思ったら、そこから少しずつ下げていけばいいのです。あれこれやっていると、ピタリとはまるバランスのいい高さがきっと見つかるはずです。それが決まったら、その作品の中心が床下から何cmかを計り、それに合わせてその他の作品も中心の高さをそろえていけば、美術館のような美しい展示が再現できると思います。

「額縁」にもこだわりを持とう！

アートフェアなどで絵画を購入したら、次は額縁にもこだわりたいものです。

購入したギャラリーにどんな額縁が合うか相談してみるのもいいですし、額縁屋さんに相談して額装を依頼することもできます。

現代アートは、額縁に入れずにキャンバスのまま展示するのが主流です。たとえ額装したとしてもシンプルな額縁に入れたくなります。しかし、ミスマッチな面白さを狙ってデコラティヴなアンティークフレームに入れてみるのも、おしゃれだと思います。

その場合、**自分が購入した作品が、西洋美術史の流れで見た場合、どの作家の作風に似ているかを考え、その作家の出身国のアンティークフレームを選ぶ**とうまく収まります。

余談になりますが、アンティークフレームに鏡を入れて飾るのも素敵です。その場合は、必ずガラス屋さんで面取りをしてもらってください。そうすることで、額縁の裏側が映り込むこともなくなり、美しく仕上がります。

プロのテクニック、「段掛け」にチャレンジ！

額装ができたら、いよいよ壁に絵を飾りましょう。

ところで皆さんはひとつの壁には1点までしか絵が掛けられない、と思っていませんか。もちろんそれでもいいのですが、飾り方を工夫して遊んでみるのも楽しいもの。

そこで、「**段掛け**」という方法をご紹介したいと思います。

例えば、おしゃれなインテリアショップやギャラリーなどで**上下に2段とか3段、左右にも2列3列**と、コラージュのように何点もの絵画や写真などが壁に掛けられているのをご覧になったことはないでしょうか。

それが、段掛けです。

段掛けはセンスが問われる展示方法ですが、うまく掛けられると楽しみが広がります。基本的なポイントは、なるべく**シンメトリー**（左右対称）に飾ること。

もっと上級になると、あえて**アシンメトリー**（左右非対称）に段掛けするというテク

段掛けのイメージ
小西紀行個展「群れの記憶」展示風景、2017年、URANO、東京©Toshiyuki KONISHI, Courtesy of URANO
Photo by Ichiro MISHIMA

ニックもあります。この場合のポイントは「縦のライン、横のライン、中心、そして全体のバランス」をうまく合わせるということです。すると、作品に大小のばらつきがあっても美しく展示できます（上参照）。

段掛けができるようになると、壁の面積に限りがある狭い日本家屋でも**数多くの作品をセンスよくぎゅっとまとめて飾れる**ようになります。

また、あれこれ購入し始めるとコレクションも増えていくわけですが、たとえば同じ作家の作品でまとめてみたり、作品のテイストをそろえてみたりするのも楽しいものです。

自分なりにいろいろ試していくうちにコツもつかめてきて、センスも磨かれていくでしょう。

みなさんも、ぜひ段掛けにチャレンジして、家にいながらギャラリー気分を味わってみてはいかがでしょうか?

自宅での鑑賞を至福の時にする楽しみ方

ここまで、様々なアートの鑑賞方法をお伝えしてきました。

自宅でお気に入りのアートを鑑賞するだけでも心が豊かになり、極上の時間を過ごすことができるものですが、もっと深く味わうために、最後に私のとっておきの楽しみ方を披露することにしましょう。

五感で楽しむ！　アートとワインのマリアージュ

それは、料理とワインをマリアージュさせて互いの味や香りを高めるように、**アートとワインをマリアージュさせる**という楽しみ方です。

自宅に飾ったアートにワインを合わせるのもいいですし、美術館で巨匠の絵画を鑑賞した後、最もその展覧会で感動した作品にワインを合わせ、余韻に浸るのもおすすめです。

マリアージュの方法は2通りあります。**ワインから作品を連想させるマリアージュと、その逆で作品からワインを連想させるマリアージュ**です。

ここでは参考までに、私が実際に展覧会で見た作品とワインのマリアージュ例をご紹介することにします。

まずは、ワインから作品を連想させるマリアージュから……。

ある夜、私はイタリア・トスカーナ州の赤ワイン「テヌータ・ディ・トリノーロ パラッツィ（1999年）」を飲みました。

このワインはフランス・ボルドーのトップシャトーの生産者から学びつつ、独学でワイン造りを始めたイタリア人、アンドレア・フランケッティ氏によって醸造されたワインです。彼は**イタリア・トスカーナのぶどう品種であるサンジョベーゼは完熟しないので興味ない**と言って、あえてボルドースタイルにこだわってこのイタリアワインをつくりました。

メルロー種が主体でつくられるこのパラッツィは、ベリーのような濃厚で妖艶な果実味に加えてスモーキーな香りがあり、ひと口、口に含んだ瞬間、様々な風景が次々と脳裏に浮かんできました。

まるで熱帯夜のような**南国のむっとする湿気。ジャングルの奥でこだまするサルの鳴き声。熟れたフルーツの濃厚な香り。怪しい煙り。そして魔術師……。**

そのワインの味や香りとともに、数日前に展覧会で見たある作品の印象が、より鮮明になって記憶から湧き上がってきました。


その作品とは、ゴーギャンの最高傑作『**我々はどこから来たのか　我々は何者か我々はどこへ行くのか**』（1897―98年：296―297ページ）です。

2009年に東京国立近代美術館で行われた「ゴーギャン展」で、ボストン美術館所蔵のこの作品は、初めて日本に公開されました。

縦139・1cm×横374・5cmの巨大なゴーギャンの最高傑作を目の前にしたことがある読者であれば、この話がきっとご理解いただけることでしょう。

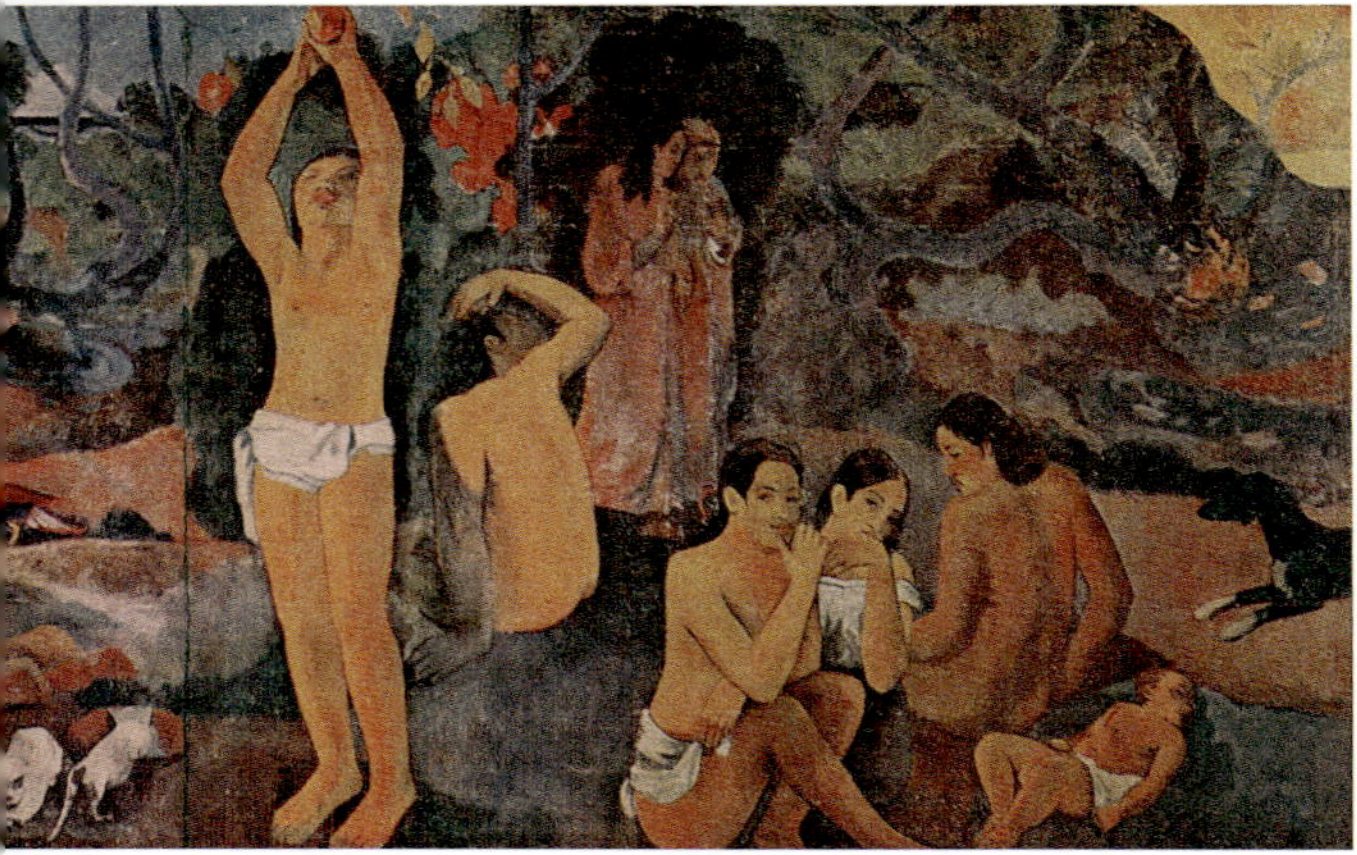

ゴーギャン『我々はどこから来たのか　我々は何者か　我々はどこへ行くのか』(1897-98年)

この傑作とパラッツィとは、私の中で見事にマリアージュしたのです。

それでは次に、作品からワインをマリアージュさせてみましょう。

2016年に国立西洋美術館で開催された「カラヴァッジョ展」で、個人蔵の『**法悦のマグダラのマリア**』(298ページ)が世界で初めて公開されました。この作品は殺人を犯して逃亡中だった**カラヴァッジョ**が1606年に描いたもので、2014年に真筆と認定されるまで、ひっそりと個人が所蔵していた油彩画です。

この作品を美術館で見ながら、私はある想像をしてみました。

イタリアワイン「テヌータ・ディ・トリノーロ　パラッツィ」（写真は2014年）
（画像提供：株式会社モトックス）

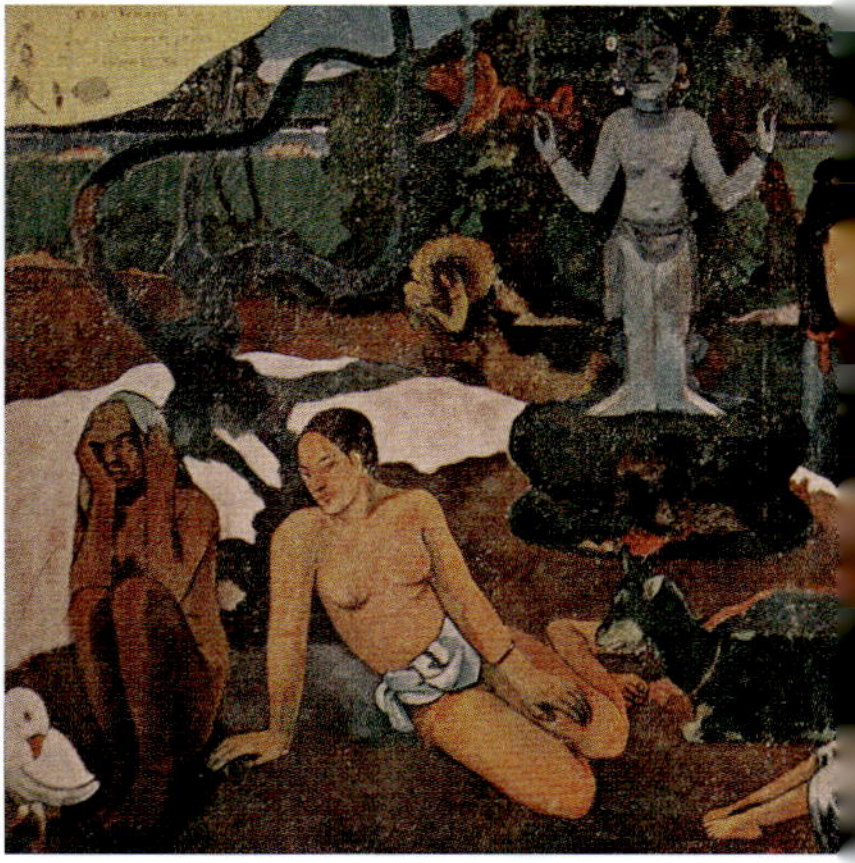

これが本物と認められた所有者は、間違いなく作品を前に祝杯を挙げたはずです。

では自分なら、どのワインで祝杯を挙げようか……。それは楽しい悩みです。

まずは赤ワインしか考えられません。なぜなら、赤ワインはキリストが「最後の晩餐」で口にした飲み物であり、「キリストの血」を意味するとされている、聖なる飲み物でもあるからです。

そこで想像の翼を広げ、ボルドーの赤ワインを目の前の作品に合わせてみます。

この作品がもつ暗い陰の部分は、ボルドー特有の陰の印象と重なりそうです。

しかし、この作品のタイトルにある「法悦」すなわち「**エクスタシー**」を感じるかと

右：カラヴァッジョ『法悦のマグダラのマリア』（1606年）
左：イタリアワイン「ブルネッロ・ディ・モンタルチーノ・リゼルヴァ」（ビオンディ・サンティ）
（画像提供：エノテカ株式会社）

いうと、ちょっと違う。エクスタシーは、ボルドーよりもブルゴーニュワインのほうが当てはまりそうです。

一方で、作品全体の雰囲気を考えると華やかなブルゴーニュよりは、もっと円熟味があって、深みと血の匂いを感じさせられるワインのほうが、似合う気もします……。

最終的にカラヴァッジョがイタリア人であること、また波瀾に満ちた生涯を送ったことに思いを馳せて、ようやくたどり着いたのは、イタリア・トスカーナ州のモンタルチーノ地区でつくられるワイン**「ブルネッロ・ディ・モンタルチーノ・リゼルヴァ」**（1985年）でした。

これは、ブルネッロ・ディ・モンタルチーノの生みの親、ビオンディ・サンティが手がけたイタリア生粋のワインで、**50年寝かせておかないと本領を発揮せず、100年の寿命を持つともいわれる伝説のワイン**です。

その晩、『法悦のマグダラのマリア』をまぶたに浮かべながら、この複雑で頑固なワインをマリアージュさせ、グラスを傾けてみたところ……私の読みは見事に的中。

まさに恍惚とするような気分に浸りつつ、所有者の気持ちになって祝杯を挙げることができたのでした。

絵画に合わせるワインの選び方

絵画とワインのマリアージュ例を二つほどご紹介しましたが、それでは、実際に読者のみなさんがお手持ちのアートとワインをマリアージュさせるには、どのようにしてワインを選んだらいいのか、そのコツを伝授いたしましょう。

といっても、そう難しいことではありません。正確な答えはないからです。

しかしたとえば、合わせたい絵画が陽気な印象ならば、明るい日差しを感じさせるカリフォルニアワインを合わせてみるという具合で、**作品の印象でワインを選ぶ**のがひとつの方法です。また額縁と同様に、出身国と生産国を合わせるのもいいでしょう。

そしてもうひとつは、前述の「南国の湿気」や「熟れた果実」のように、**その絵から連想されるキーワードやイメージに合うワインを選ぶ**、という方法もあります。

あるいは、作品のポストカードなどをワインショップに持参し、ソムリエに「この絵に合うワインを選んでいただけますか?」と聞いてみるのもいいでしょう。

そのようなオーダーは滅多にないでしょうから、意外に面白がって、本気で考えてくれると思います。その場合、**作品のどの部分に感動したのか**などの**言葉を添えると**、ソムリエもイメージを膨らませやすくなるでしょう。

アート鑑賞はもっと自由でいい、鑑賞法に正解はないということがおわかりいただけたでしょうか?

五感をフル活用して、アートを楽しむ。いつもとは趣向を変えて楽しんでみると、アートの世界はますます広がり、あなたの感性もどんどん磨かれていくはずです。

さあみなさん、アートをもっと身近に、日々の生活に取り入れて楽しみましょう!

あとがきにかえて――「1日1回、5分の作品鑑賞」のすすめ

本書では、アート好きな方のために、できるだけわかりやすくアートの魅力や鑑賞のポイント、様々な鑑賞方法などをお伝えしてきました。

第1章でも述べた通り、アートの鑑賞法は人それぞれで、「唯一無二の正解などない」のは事実ですが、一方でアートをより深く楽しむための「鑑賞スキル」があるというのも事実です。

アートを見る側にも、作品と向き合うための豊かな感受性が必要ということです。

そこで本書の締めくくりとして、私から読者のみなさんにひとつ、鑑賞スキルを高めるうえで有効な、感性磨きのトレーニング法をご紹介しましょう。

それは、**1日1回、5分だけ、自宅でアートを鑑賞しながらボーッとする時間をつくる**ことです。

このときのアートは、西洋絵画の巨匠の名作でも、現代アートでも何でもかまいません。

そもそも、現代人は何かと忙しく、心に余裕がない人が多くなっている気がします。あなたにも、きっと心当たりがあるのではないでしょうか。

そんな人は、1日のうちのどこかで脳をリセットしないと、いつも何かに追われているような気分になってしまいます。

忙しい人には難しく思われることでしょう。しかし、忙しい人ほどボーッとする時間が必要です。これは脳をニュートラルにするという考え方です。そうやって、**意識的に心に余裕をつくりだす**のです。

大事なのは、とにかく何も考えず、絵を見ながらボーッと頭を休ませるということ。

1日働いた自分へのご褒美に、好きな絵を見ながら好きなお酒を飲んでリラックスするのもいいでしょう。

こうした時間を持つことで、**脳はリセットされ、思考がクリアに**なっていきます。

何も考えていないようでいても、脳は働いているものですから、実はこうしているときにこそ、**感性が磨かれ、ひらめきが生まれたりする**のです。

私自身も、絵を見ながらボーッとしているとき不意に、「そういえば、あれはこうすればいいのか！」と新たな着想を得たことが幾度もありました。

アートと過ごす5分間は、頭を休ませてひらめきを生む、クリエイティヴな時間でもあるというわけです。

これを、習慣的に1日の時間の中にうまく取り込むことができるようになれば、あなたの感性は磨かれ、絵画と向き合う豊かな素地が育まれていくことでしょう。

シンプルな方法ですが、効果はお約束します。

ぜひ、今日から実践してみてください。

三井一弘

【ら】

【た】

【な】

【か】

【さ】

【あ】

参考文献

『西欧芸術の精神』（［著］高階秀爾、青土社、１９９３年９月）

『近代美術の巨匠たち』（［著］高階秀爾、美術出版社、１９６９年９月）

『西洋美術解読事典』（［著］ジェイムズ・ホール、［監修］高階秀爾、河出書房新社、１９８９年５月）

『続　名画を見る眼』（［著］高階秀爾、岩波書店、１９７１年５月）

『西洋の誘惑』（［著］中山公男、印象社、２００４年９月）

『現代芸術事典　――アールデコから新表現主義まで』（［編集］美術出版社編集部、美術出版社、１９９３年６月）

『西洋絵画の主題物語　I　聖書編』（［監修］諸川春樹、美術出版社、１９９７年３月）

『国民の歴史』（［著］西尾幹二、産経新聞ニュースサービス、１９９９年１０月）

『奇想の系譜』（［著］辻惟雄、筑摩書房《ちくま学芸文庫》、２００４年９月）

『クロード・モネ　印象派の歩み』（［著］ギュスターヴ・ジェフロワ、［翻訳］黒江光彦、東京美術、１９７４年４月）

『画商デュヴィーンの優雅な商売』（［著］S.N.バーマン、［翻訳］木下哲夫、筑摩書房、１９９０年６月）

『ビッグ・コレクター』（［著］瀬木慎一、新潮社、１９７９年５月）

『画商　ダニエル・ウィルデンスタイン』（［翻訳］山崎貴夫、［監修］水嶋龍一郎、ウィルデンスタイン東京、２００３年１０月）（非売品）

『デュシャンは語る』（［著］マルセル・デュシャン、ピエール・カバンヌ、［訳］岩佐鉄男、小林康夫、筑摩書房《ちくま学芸文庫》、１９９９年５月）

『増補新装［カラー版］西洋美術史』（［監修］高階秀爾、美術出版社、２００２年１２月）

『増補新装［カラー版］日本美術史』（［監修］辻惟雄、美術出版社、２００３年１月）

『増補新装［カラー版］20世紀の美術』（［監修］末永照和、美術出版社、２０１３年８月）

『GREAT FRENCH PAINTINGS from THE BARNES FOUNDATION』([Authors] Dr.Albert C. Barnes and the Barnes Foundation, Alfred A. Knopf, April, 1993)

本書は、本文庫のために書き下ろされたものです。

三井一弘（みつい・かずひろ）
アートディーラー。ミツイ・ファイン・アーツ代表、水野学園 理事。
1970年横浜生まれ。米国NBS Chapman University 校卒業。国内にて現代美術アーティストとして活動した後、アートディーラーに転身。美術界で世界的権威を持つ画廊・ウィルデンスタイン（NY）の東京店にて、イタリア・ルネサンス絵画や印象派、現代美術、版画、写真、プリミティブ・アート（原始美術）など、多岐にわたって取り扱う。
2016年に独立し、現在は、古典美術から現代アート作品までコレクターに紹介するかたわら、アートに興味を持つ初心者向けに現代アートとアート市場についてセミナーで講演するなど、精力的に活動。斬新な切り口によるわかりやすい解説が注目を集めている。

知的生きかた文庫

アート鑑賞《かんしょう》BOOK《ブック》
この1冊《さつ》で《見《み》る、知《し》る、深《ふか》まる》

著　者　三井《みつい》一弘《かずひろ》
発行者　押鐘太陽
発行所　株式会社三笠書房
〒一〇二‐〇〇七二 東京都千代田区飯田橋三‐三‐一
電話〇三‐五二二六‐五七三四〈営業部〉
〇三‐五二二六‐五七三一〈編集部〉
http://www.mikasashobo.co.jp
印刷　誠宏印刷
製本　若林製本工場

ISBN978-4-8379-8508-2 C0130

知的生きかた文庫

本は10冊同時に読め！

成毛　眞

本は最後まで読む必要はない、仕事とは直接関係のない本を読め、読書メモはとるな――これまでの読書術の常識を覆す、画期的読書術！　人生が劇的に面白くなる！

「1冊10分」で読める速読術

佐々木豊文

音声化しないで1行を1秒で読む、瞬時に行末と次の行頭を読む、漢字とカタカナだけを高速で追う……あなたの常識を引っ繰り返す本の読み方・生かし方！

読書は「アウトプット」が99％

藤井孝一

「読後に何をするか」で、リターンは10倍にも20倍にもなる！　本物の〝使える知識〟が身につく、本の「読み方・選び方・活かし方」！

自分のための人生

ウエイン・W・ダイアー【著】
渡部昇一【訳】

自分の中の弱さを取り払い、常に創造への気構えを持ち続ける――そこから人生の成長が始まる！　世界的ベストセラーとなったダイアー博士の処女作！

時間を忘れるほど面白い雑学の本

竹内　均【編】

1分で頭と心に「知的な興奮」！　身近に使う言葉や、何気なく見ているものの面白い裏側を紹介。毎日がもっと楽しくなるネタが満載の一冊です！

C50325